복습할 때 활용하세요.

각 장을 공부한 후 아직 알쏭달쏭한 어휘의 □ 안에 ✔표 하세요.
해당 쪽수로 돌아가서 어휘를 다시 한번 꼼꼼히 공부하여 확실하게 익혀 봅시다.

1장

2장

3장

4장

5장

초등국어
어휘력 향상을 위한
어휘왕

3-1

이룸이앤비
Education & Books

이 책을 펴내며

어휘력이 성장하는 빅뱅 시기, 초등 6년!

어느 언어학자의 연구 결과에 따르면,
학생들의 키는 보통 사춘기에 폭풍 성장하는데,
어휘력은 그보다 더 이른 초등 시기에 폭발적으로 늘어난다고 합니다.
보통 초등학교에 입학하기 전 아이들의 어휘력 수준은
약 5,000 단어를 아는 데 불과합니다.
그런데 **초등학교 6년의 과정을 거치면서 약 40,000 단어 이상을 습득하게 됩니다.**
초등 시기에 매년 6,000 단어 이상의 새로운 어휘를 습득하게 되는 셈입니다.
매우 놀라운 사실은 일반 사람들이 원만한 사회생활을 하는 데
필요한 어휘의 85%를 바로 초등 시기에 익히게 된다는 점입니다.
그래서 **초등학생 때를 "어휘의 빅뱅* 시기"**라고 부르기도 합니다.
(빅뱅이라는 말은 우주가 어느 날 폭발적으로 팽창하면서 커지게 되었다는 학설입니다.)
이러한 빅뱅 시기에 어휘 학습을 제대로 해 놓아야 그 효과를 톡톡히 볼 수 있겠지요?
혹여나 '어휘 학습은 그냥 국어 공부잖아, 다음에 봐서 학원에 보내면 되겠지.'
라고 생각하면 큰 오산입니다.
어휘의 빅뱅 시기를 너무 안일하게 생각하면 때는 늦습니다.
공부가 때가 있다는 말들을 하지요?
이는 뇌 구조상 쉽게 기억되고 받아들이는 때가 있다는 말입니다.
많은 양을 공부할 필요는 없습니다.
하루에 20~25개 정도의 어휘만 꾸준히 학습하면 됩니다.
'초등국어 어휘왕'은 바로 어휘의 빅뱅 시기를 맞이한 초등학생 여러분의 어휘력을
성장시켜 줄 좋은 친구가 될 것입니다.

초등국어 어휘왕의 특장점은?

1 교과서에 나오는 주요 어휘를 학습할 수 있습니다.

초등 교과서에만 약 3만 개가 넘는 어휘가 수록되어 있어요. 교과서는 학생에게 가장 유익하고 체계적인 학습 교재라는 점을 고려해 볼 때, 초등 교과서로 어휘 학습을 시작하는 것은 매우 합리적인 방법이라고 할 수 있습니다. '초등국어 어휘왕'은 초등학교 교과서에 수록된 어휘들을 단원별로 정리하여 문제로 제시하고 있어요.

2 적절한 분량으로 학습 스케줄을 짤 수 있습니다.

초등학생이 집중해서 학습할 수 있는 시간은 약 20~30분 정도예요. 너무 많은 양을 한꺼번에 학습하려다 보면 부담을 느낄 수 있어요. '초등국어 어휘왕'은 단원별 어휘들을 조금씩 꾸준히 학습할 수 있도록 학습 일차를 구분해 두었어요.

3 다양한 유형의 문제로 재미있게 어휘를 익힐 수 있습니다.

어휘를 단순히 암기하는 방식은 학습 효율 면에서 좋지 않습니다. '초등국어 어휘왕'은 문제를 통해 자연스럽게 어휘의 의미를 익힐 수 있도록 하였어요. 또한 반복되는 지루한 학습 패턴이 아닌, 여러 가지 다양한 유형을 통해 학습할 수 있도록 구성하고 있어요.

4 부모님이 자녀를 지도할 수 있는 자료로 활용할 수 있습니다.

풍부한 어휘력을 갖추려면, 꾸준한 학습과 노력이 뒤따라야 합니다. 학생이 꾸준하게 어휘를 공부할 수 있도록 하는 데에는 부모님의 역할이 매우 중요합니다. '초등국어 어휘왕'은 이러한 고민을 바탕으로, 다양한 놀이 형태의 문제들을 학생과 부모가 함께 해 나갈 수 있도록 만들었습니다. 부모님은 해설집을 통해 부분적으로 필요한 내용들을 지도 자료로 활용할 수 있습니다.

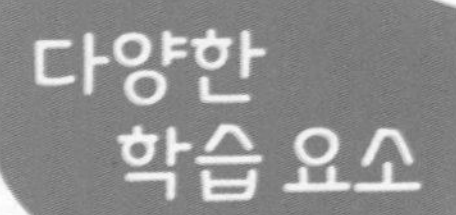

초등국어 어휘왕, 재밌고 다양한 문제로 공부해요.

1 새로운 어휘 학습

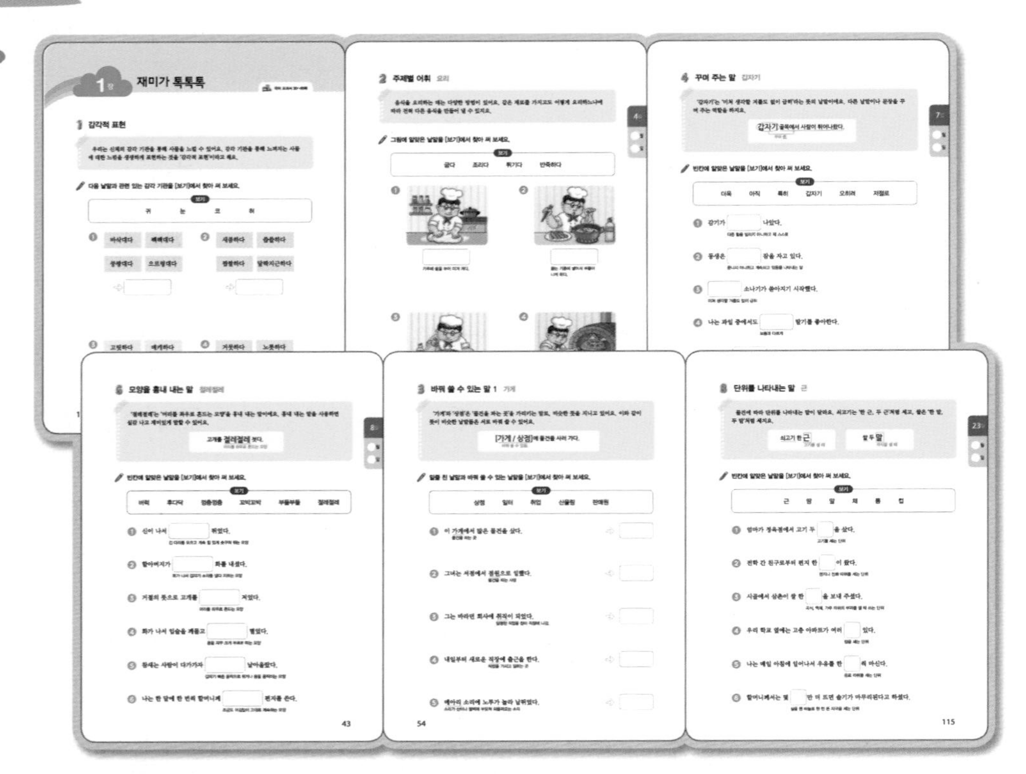

〈단원별 주요 어휘〉, 〈주제별 어휘〉, 〈합쳐진 말〉, 〈태도 · 동작을 나타내는 말〉, 〈꾸며 주는 말〉, 〈소리나 모양을 흉내 내는 말〉, 〈단위를 나타내는 말〉, 〈바꿔 쓸 수 있는 말〉, 〈뜻이 반대인 말〉 등의 새롭고 낯선 어휘들을 학습해 보세요.

2 기초 맞춤법

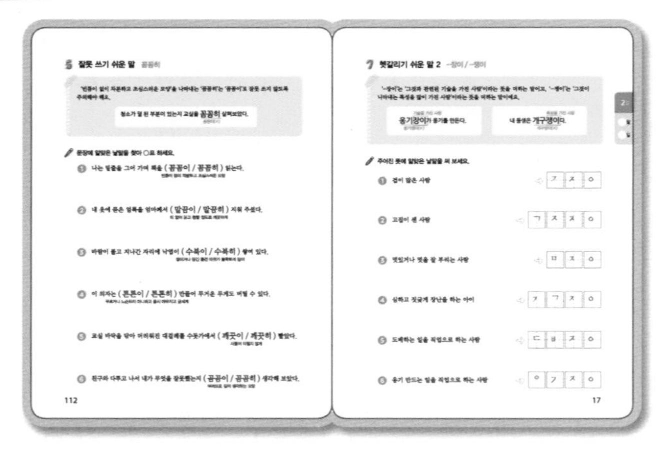

〈잘못 쓰기 쉬운 말〉, 〈헷갈리기 쉬운 말〉, 〈문장 부호〉 등의 맞춤법에 관련된 올바른 표현을 익혀 보세요.

3 띄어쓰기 / 원고지 쓰기

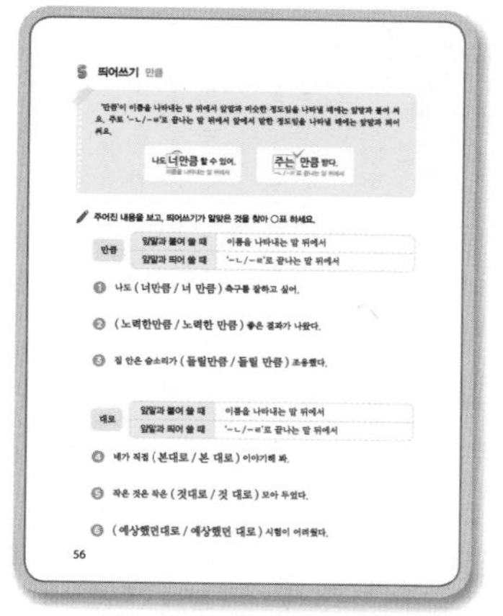

〈띄어쓰기〉를 포함하여 **〈원고지 쓰기〉** 등의 실제 글 쓰는 방식 등을 점검해 보세요.

4 올바른 발음

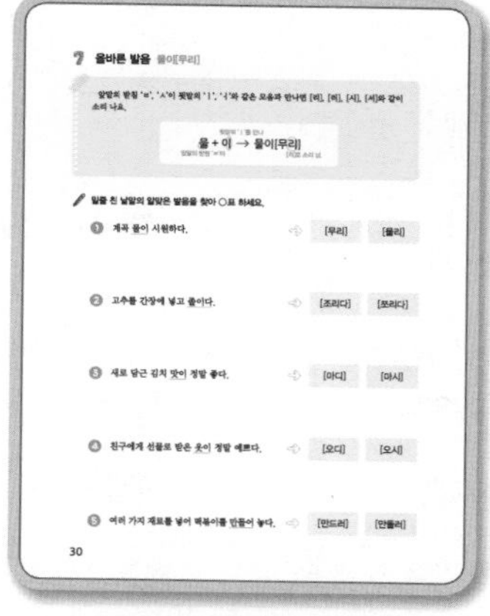

표준 발음법에 따른 **〈올바른 발음〉**에 대해 학습해 보세요.

5 문장 표현

〈높임 표현〉, 〈시간 표현〉, 〈부정 표현〉, 〈행동을 하게 하는 말〉, 〈행동을 당하는 말〉 등 기초적인 문법 지식을 배워 보세요.

6 타교과 어휘

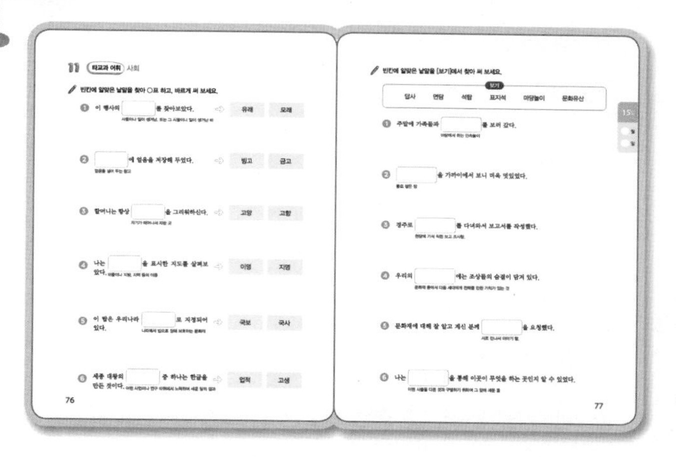

각 학기의 **[사회]**, **[과학]**, **[도덕]**, **[수학]**의 교과서에 나오는 주요 어휘들을 공부해 보세요.

7 어휘력을 높이는 확인 학습

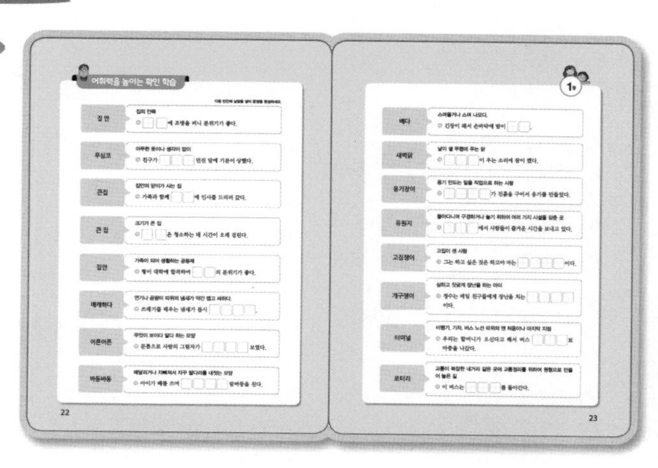

앞에서 공부한 어휘들을 다시 한번 확인해 보면서 확실한 어휘 학습이 되었는지 점검해 보세요.

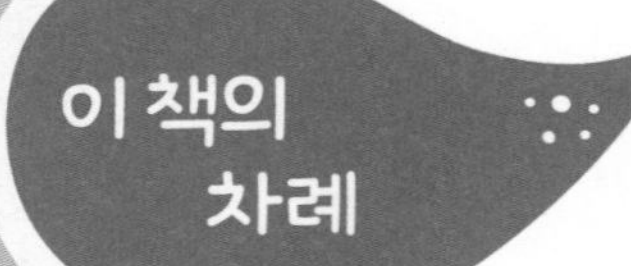

계획에 따라 차근차근 공부해요.

학생 지도 방안

학생들의 학습을 도와주세요!

기본 학습

일차별로 꾸준하게 공부하게 합니다.

학습 스케줄에 따라 하루에
25~30개의 정도의 낱말을 꾸준하게
공부할 수 있도록
지도하는 것이 좋습니다.

20~30분 집중하여 학습하게 합니다.

시간을 정해 두고
한 번에 집중해서 학습하도록
하는 것이 바람직합니다.

점검 학습

단원별로 공부한 어휘를 점검하게 합니다.

3일차 학습이 끝나는 대로 10분 정도의
시간을 별도로 할애하여 '어휘력을 높이는
확인 학습' 코너를 활용하여 주요 어휘들을
숙지하였는지 확인해야 합니다.

모바일 앱을 통해 학습한 내용을 복습하게 합니다.

본 교재는 모바일에서 '초등국어 어휘왕' 앱을
제공합니다. 이를 다운 받아, 하루에 학습한
낱말을 복습할 수 있도록
지도할 수도 있습니다.

도움 학습

궁금해할 만한 내용은 해설을 보고 직접 설명해 줍니다.

'정답 및 해설'에 알아 두면
유익한 내용들을 이해하기 쉽도록
별도로 설명해 두었습니다.
이를 학생에게 설명하여 이해를
돕는 것이 중요합니다.

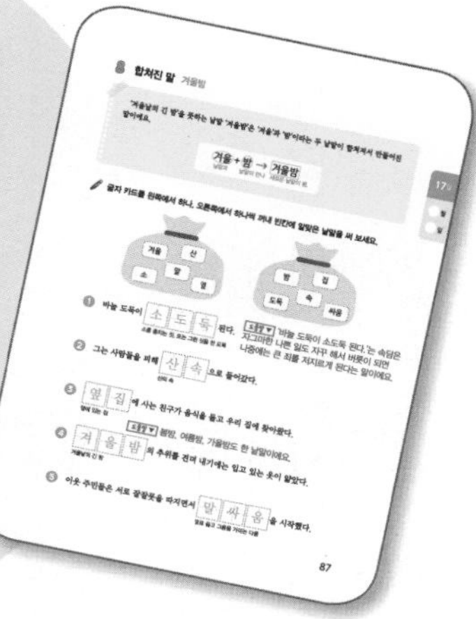

1장 재미가 톡톡톡

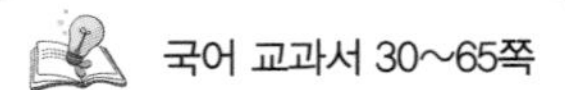

1 감각적 표현

우리는 신체의 감각 기관을 통해 사물을 느낄 수 있어요. 감각 기관을 통해 느껴지는 사물에 대한 느낌을 생생하게 표현하는 것을 '감각적 표현'이라고 해요.

다음 낱말과 관련 있는 감각 기관을 [보기]에서 찾아 써 보세요.

보기

귀 눈 코 혀

1 바삭대다 짹짹대다 쿵쾅대다 으르렁대다

→ ( )

2 새콤하다 씁쓸하다 짭짤하다 달짝지근하다

→ ( )

3 고릿하다 매캐하다 쿰쿰하다 향긋하다

→ ( )

4 거뭇하다 노릇하다 불긋하다 푸릇하다

→ ( )

다음 그림이 나타내는 감각을 알맞게 찾아 연결하세요.

꽃이 향기로워요.

하늘이 새파래요.

고양이의 털이 보들보들해요.

따르릉 전화벨이 울려요.

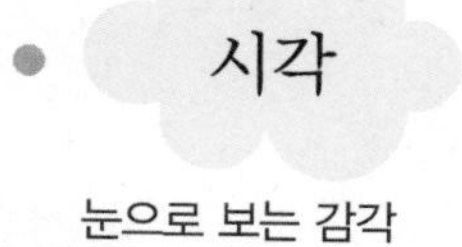

시각

눈으로 보는 감각

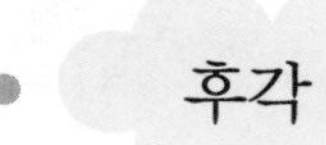

후각

냄새를 맡는 감각

청각

소리를 느끼는 감각

촉각

피부에 물건이 닿아서
느끼는 감각

2 띄어쓰기 큰집, 큰 집

'큰집'과 '큰 집'은 의미가 전혀 다른 말이에요. '큰집'으로 붙여 쓸 때에는 '맏이의 집'을 가리키는 말로, '큰 집'으로 띄어 쓸 때에는 단순히 '크기가 큰 집'을 가리키는 말로 쓰여요.

명절을 맞아 큰집에 가다.

작은 집에서 큰 집으로 옮겨 가다.

주어진 뜻을 참고하여 다음 문장에 어울리는 말을 찾아 ○표 하세요.

큰집	집안의 맏이가 사는 집
큰 집	크기가 큰 집

1. (큰집 / 큰 집)으로 이사를 하니 거실이 넓어서 좋다.

2. 우리는 새해가 되면 (큰집 / 큰 집)에 세배를 드리러 간다.

3. 할아버지께서 (큰집 / 큰 집) 장손을 보았다고 기뻐하셨다.

집안	가족이 되어 생활하는 공동체
집 안	집의 안쪽

4. (집안 / 집 안)에 꽃을 두니 분위기가 화사해졌다.

5. 우리는 명절에 가까운 (집안 / 집 안)끼리 모인다.

6. 영훈이는 (집안 / 집 안) 사정으로 학교에 나오지 않았다.

3 꾸며 주는 말 겨우

'겨우'는 '어렵게 힘들여'라는 뜻을 가진 말이에요. 이와 같은 말은 다른 말이나 문장을 꾸며 주어요.

겨우 그림을 완성했다.
꾸며 줌.

1일

빈칸에 알맞은 낱말을 [보기]에서 찾아 써 보세요.

보기

겨우 그냥 벌써 별로 무심코 어느새

1. 나는 엄마가 (   ) 좋다.
   바라는 바나 조건 따위가 없이

2. (   ) 길을 가다가 내 짝꿍을 만났다.
   아무런 뜻이나 생각이 없이

3. 시간을 오래 들여 (   ) 숙제를 완성했다.
   어렵게 힘들여

4. (   ) 봄이 와 길가에 개나리가 활짝 피었다.
   어느 틈에 벌써

5. 밥을 먹은 지 얼마 지나지 않았는데 (   ) 배가 고프다.
   예상보다 빠르게

6. 날씨는 쌀쌀하지만 옷을 따뜻하게 입어서 (   ) 추운 줄 모르겠다.
   이렇다 하게 따로. 또는 그다지 다르게

4 모양을 흉내 내는 말 타박타박

모양을 흉내 내는 말인 '타박타박'은 '조금 느릿느릿 힘없는 걸음으로 걸어가는 모양'을 나타내는 말이에요. 이와 같은 말을 사용하면 상황을 좀 더 실감 나게 표현할 수 있어요.

타박타박 집으로 걸어갔다.
힘없는 걸음으로 걸어가는 모양을 나타냄.

빈칸에 알맞은 낱말을 [보기]에서 찾아 써 보세요.

보기

바동바동 살랑살랑 어른어른 첨벙첨벙 타박타박 헐레벌떡

1. 봄바람이 ☐ 부니 기분이 좋다.
   바람이 가볍게 자꾸 부는 모양

2. 나는 학교에서 집까지 ☐ 걸어갔다.
   조금 느릿느릿 힘없는 걸음으로 걸어가는 모양

3. 마당에서는 아지랑이가 ☐ 피어오른다.
   무엇이 보이다 말다 하는 모양

4. 우리는 계곡에서 ☐ 물장구를 치고 놀았다.
   큰 물체가 물에 자꾸 부딪치거나 잠기는 모양

5. 어린아이가 떼를 쓰며 ☐ 발버둥을 치고 있다.
   매달리거나 자빠져서 팔다리를 내젓는 모양

6. 정수는 무슨 일이 생겼는지 집으로 ☐ 뛰어갔다.
   숨을 가쁘고 거칠게 몰아쉬는 모양

5 합쳐진 말 바위섬

'바위섬'은 '바위'와 '섬'이 합쳐진 말로 바위가 많은 섬이나 바위로 이루어진 섬을 뜻하는 말이에요. 이처럼 두 낱말이 합쳐져서 하나의 새로운 낱말이 되기도 해요.

바위섬 = 바위 + 섬

다음 낱말을 두 개의 낱말로 나누어 써 보세요.

1. 바위섬

2. 밤하늘 → ☐ + ☐

3. 보름달 → ☐ + ☐

4. 산바람 → ☐ + ☐
   산에서 불어오는 바람

5. 새벽닭 → ☐ + ☐
   날이 샐 무렵에 우는 닭

6. 쇠사슬 → ☐ + ☐

6 헷갈리기 쉬운 말 1 잊다 / 잃다

'알았던 것을 기억하지 못하다.'라는 뜻을 가진 말은 '잊다'이고, '가졌던 물건을 갖지 못하게 되다.'라는 뜻을 가진 말은 '잃다'예요. 두 낱말은 모양이 비슷할 뿐, 전혀 다른 말이에요.

숙제를 **잊다.**
기억하지 못하다.

가방을 **잃다.**
더이상 갖지 못하게 되다.

주어진 뜻을 참고하여 다음 문장에 어울리는 낱말을 찾아 ○표 하세요.

잊다	알았던 것을 기억하지 못하다.
잃다	가졌던 물건을 갖지 못하게 되다.

1. 선물로 받은 시계를 (잃다 / 잊다).

2. 어제 외운 낱말을 까맣게 (잃다 / 잊다).

3. 우산을 챙기는 것을 깜빡 (잊다 / 잃다).

젖다	물이 배어 축축하게 되다.
젓다	고르게 섞이도록 손이나 기구 따위를 내용물에 넣고 이리저리 돌리다.

4. 비가 와서 옷이 물에 (젓다 / 젖다).

5. 죽이 굳지 않도록 자꾸 (젓다 / 젖다).

6. 물놀이를 하다가 머리가 다 (젓다 / 젖다).

7 헷갈리기 쉬운 말 2 –장이 / –쟁이

'–장이'는 '그것과 관련된 기술을 가진 사람'이라는 뜻을 더하는 말이고, '–쟁이'는 '그것이 나타내는 특성을 많이 가진 사람'이라는 뜻을 더하는 말이에요.

기술을 가진 사람
옹기장이가 옹기를 만든다.
옹기쟁이(×)

특성을 가진 사람
내 동생은 **개구쟁이**다.
개구장이(×)

주어진 뜻에 알맞은 낱말을 써 보세요.

1. 겁이 많은 사람 → ㄱ ㅈ ㅇ
2. 고집이 센 사람 → ㄱ ㅈ ㅈ ㅇ
3. 멋있거나 멋을 잘 부리는 사람 → ㅁ ㅈ ㅇ
4. 심하고 짓궂게 장난을 하는 아이 → ㄱ ㄱ ㅈ ㅇ
5. 도배하는 일을 직업으로 하는 사람 → ㄷ ㅂ ㅈ ㅇ
6. 옹기 만드는 일을 직업으로 하는 사람 → ㅇ ㄱ ㅈ ㅇ

8 자주 쓰는 말 앞이 캄캄하다

'앞이 캄캄하다'라는 말은 원래 '앞이 어둡다.'라는 뜻을 가진 말이지만, 대책이 없어 어찌할 바를 모르는 상황을 표현할 때에도 쓰여요. 이처럼 전혀 새로운 뜻으로 굳어져서 쓰이는 말은 그 뜻을 잘 알아 둘 필요가 있어요.

중요한 시험에 떨어져서 앞이 캄캄하다.
대책이 없어 어찌할 바를 모르다.

밑줄 친 말이 문장에 어울리는 표현이 되도록 알맞은 낱말에 ○표 하세요.

1. 내 차례가 다가오니 (맥 / 심장)이 뛰다.
   가슴이 조마조마하거나 흥분되다.

2. 선생님의 말씀에 귀를 (기울이다 / 팔다).
   남의 이야기나 의견에 관심을 가지고 주의를 모으다.

3. 비를 맞고 갈 생각을 하니 앞이 (캄캄 / 훤)하다.
   대책이 없어 어찌할 바를 모르고 답답해하다.

4. 잔치에 쓸 음식을 만드느라 (생각 / 정신)이 없다.
   매우 바쁘다.

5. 새끼 강아지를 돌보는 어미 개의 모습에 코끝이 (아프다 / 찡하다).
   몹시 감동을 받다.

9 형태는 같은데 뜻이 다른 말 배다

'스며들거나 스며 나오다.'라는 뜻의 '배다'와 '배 속에 아이나 새끼를 가지다.'라는 뜻의 '배다'는 형태는 같지만 전혀 다른 뜻을 가진 낱말이에요.

종이에 기름이 **배다**.
스며들거나 스며 나오다.

고양이가 새끼를 **배다**.
배 속에 아이나 새끼를 가지다.

밑줄 친 낱말에 알맞은 뜻을 찾아 연결하세요.

❶ 베개를 고쳐 베다. •　　　• 날이 있는 연장으로 자르거나 끊다.

❷ 낫으로 풀을 베다. •　　　• 누울 때 베개 따위를 머리 아래에 받치다.

❸ 이마에 땀이 배다. •　　　• 스며들거나 스며 나오다.

❹ 우리 집 개가 새끼를 배다. •　　　• 배 속에 아이나 새끼를 가지다.

❺ 창문에 커튼을 치다. •　　　• 손이나 손에 든 물건으로 세게 부딪게 하다.

❻ 날아오는 공을 방망이로 치다. •　　　• 막이나 그물, 따위를 펴서 벌이거나 늘어뜨리다.

10 타교과 어휘 사회

빈칸에 알맞은 말을 [보기]에서 찾아 써 보세요.

보기

골목 위치 장소 로터리 산책로 생태 공원

1. 우리는 약속 [   ]를 놀이터로 정했다.
   어떤 일이 이루어지거나 일어나는 곳

2. 그 가게는 [   ]가 좋아서 사람이 항상 많다.
   일정한 곳에 자리를 차지함. 또는 그 자리

3. 버스는 [   ]를 돌아 다음 정거장으로 향했다.
   교통이 복잡한 네거리에 교통정리를 위하여 원형으로 만들어 놓은 길

4. 나는 엄마와 공원 [   ]를 걷는 것을 좋아한다.
   산책할 수 있게 만든 길

5. 나는 [   ]에서 다양한 식물과 곤충들을 구경했다.
   생물이 자연에서 살아가는 모습을 관찰할 수 있도록 만든 공원

6. [   ]을 통해서 가면 큰길로 가는 것보다 빨리 갈 수 있다.
   큰길에서 들어가 동네 안을 이리저리 통하는 좁은 길

밑줄 친 낱말에 알맞은 뜻을 찾아 연결하세요.

	문장		뜻
❶	우리 고장에는 유명한 산이 있다.		두 길이 엇갈린 길
❷	백지도에 지하철역을 표시해 보았다.		사람이 많이 사는 지방이나 지역
❸	인공위성이 구름 사진을 보내왔다.		산, 강, 큰길 등의 밑그림만 그려져 있는 지도
❹	터미널은 고향에 내려가는 사람들로 몹시 붐볐다.		돌아다니며 구경하거나 놀기 위하여 여러 가지 시설을 갖춘 곳
❺	주말에 가족들과 유원지에 가서 즐거운 시간을 보냈다.		비행기, 기차, 버스 노선 따위의 맨 처음이나 마지막 지점
❻	이 길로 곧장 가다가 교차로에서 오른쪽으로 꺾으면 놀이터가 있다.		사람들이 만들어 쏘아 올린 비행 물체로 위치, 날씨 따위의 다양한 정보를 알려 주는 것

어휘력을 높이는 확인 학습

다음 빈칸에 낱말을 넣어 문장을 완성하세요.

집 안
집의 안쪽
예 □ □에 조명을 켜니 분위기가 좋다.

무심코
아무런 뜻이나 생각이 없이
예 친구가 □□□ 던진 말에 기분이 상했다.

큰집
집안의 맏이가 사는 집
예 가족과 함께 □□에 인사를 드리러 갔다.

큰 집
크기가 큰 집
예 □ □은 청소하는 데 시간이 오래 걸린다.

집안
가족이 되어 생활하는 공동체
예 형이 대학에 합격하여 □□의 분위기가 좋다.

매캐하다
연기나 곰팡이 따위의 냄새가 약간 맵고 싸하다.
예 쓰레기를 태우는 냄새가 몹시 □□□□.

어른어른
무엇이 보이다 말다 하는 모양
예 문틈으로 사람의 그림자가 □□□□ 보였다.

바동바동
매달리거나 자빠져서 자꾸 팔다리를 내젓는 모양
예 아이가 떼를 쓰며 □□□□ 발버둥을 친다.

배다	스며들거나 스며 나오다. 예 긴장이 돼서 손바닥에 땀이 □□.
새벽닭	날이 샐 무렵에 우는 닭 예 □□□이 우는 소리에 잠이 깼다.
옹기장이	옹기 만드는 일을 직업으로 하는 사람 예 □□□□가 진흙을 구어서 옹기를 만들었다.
유원지	돌아다니며 구경하거나 놀기 위하여 여러 가지 시설을 갖춘 곳 예 □□□에서 사람들이 즐거운 시간을 보내고 있다.
고집쟁이	고집이 센 사람 예 그는 하고 싶은 것은 하고야 마는 □□□□이다.
개구쟁이	심하고 짓궂게 장난을 하는 아이 예 정수는 매일 친구들에게 장난을 치는 □□□□이다.
터미널	비행기, 기차, 버스 노선 따위의 맨 처음이나 마지막 지점 예 우리는 할머니가 오신다고 해서 버스 □□□로 마중을 나갔다.
로터리	교통이 복잡한 네거리 같은 곳에 교통정리를 위하여 원형으로 만들어 놓은 길 예 이 버스는 □□□를 돌아간다.

2장 문단의 짜임

국어 교과서 66~85쪽

1 문단의 짜임

문단은 중심 문장과 뒷받침 문장을 갖추어 짜임새 있게 쓰는 것이 중요해요. 문단을 짜임에 맞게 써야 생각을 효과적으로 표현할 수 있어요.

주어진 낱말에 알맞은 뜻을 찾아 연결하세요.

낱말	뜻
① 문장	뒤에서 지지하고 도와주는 일
② 문단	몇 가지 부분을 모아 일정한 전체를 짜 이룸.
③ 짜임	사물이나 행동에서 매우 중요하고 기본이 되는 부분
④ 중심	문장이 몇 개 모여 한 가지 생각을 나타내는 글의 한 도막
⑤ 뒷받침	생각이나 감정을 말과 글로 표현할 때 하나의 정리된 뜻을 나타내는 말의 단위

2 주제별 어휘 요리

음식을 요리하는 데는 다양한 방법이 있어요. 같은 재료를 가지고도 어떻게 요리하느냐에 따라 전혀 다른 음식을 만들어 낼 수 있지요.

4일 월 일

그림에 알맞은 낱말을 [보기]에서 찾아 써 보세요.

보기

굽다　　조리다　　튀기다　　반죽하다

1

가루에 물을 부어 이겨 개다.

2

끓는 기름에 넣어서 부풀어 나게 하다.

3

음식을 국물에 넣고 끓여서 양념이 배게 하다.

4

음식을 불에 익히다.

3 뜻을 더하는 말 –꾸러기

'–꾸러기'는 몇몇 낱말의 뒤에 붙어 '그것이 심하거나 많은 사람'의 뜻을 더해 주는 말이에요.

나는 **잠꾸러기**이다.
잠이 아주 많은 사람

나는 **장난꾸러기**이다.
장난이 심한 사람

주어진 뜻에 알맞은 낱말을 써 보세요.

1. 장난이 심한 사람 → ㅈ ㄴ ㄲ ㄹ ㄱ
2. 욕심이 많은 사람 → ㅇ ㅅ ㄲ ㄹ ㄱ
3. 늘 걱정이 많은 사람 → ㄱ ㅈ ㄲ ㄹ ㄱ
4. 심술이 매우 많은 사람 → ㅅ ㅅ ㄲ ㄹ ㄱ
5. 자주 말썽을 일으키는 사람 → ㅁ ㅆ ㄲ ㄹ ㄱ
6. 늘 아침에 늦게까지 자는 사람 → ㄴ ㅈ ㄲ ㄹ ㄱ

4 포함하는 말 놀이

'여러 사람이 모여서 즐겁게 노는 일이나 활동'을 뜻하는 '놀이'는 그 구체적인 종류를 나타내는 말인 '연날리기', '제기차기', '쥐불놀이'를 포함한다고 할 수 있어요.

놀이			→ 포함하는 말
연날리기	제기차기	쥐불놀이	→ 포함되는 말

4일

월
일

주어진 낱말들을 포함하는 낱말을 찾아 ○표 하세요.

1. 약과, 강정, 엿 → 과자 / 과일 / 채소

2. 설날, 단오, 동짓날 → 추석 / 명절 / 대보름날

3. 쌀, 조, 깨, 옥수수 → 떡 / 가루 / 곡식

4. 요리사, 경찰관, 변호사 → 사업 / 직업 / 부업

5. 연날리기, 제기차기, 쥐불놀이 → 놀이 / 운동 / 공놀이

5 외래어 표기 로봇

외래어는 외국에서 들어온 말로 우리말처럼 쓰이는 낱말이에요. 흔히 '인간과 비슷한 형태를 가지고 있는 기계 장치'를 가리켜 '로보트'라고 잘못 쓰는 경우가 있지만 '로봇'으로 쓰는 것이 올바른 표현이에요.

아버지께서 새로 나온 로봇 장난감을 사 주셨다.
로보트(×)

다음 문장에 알맞은 낱말을 찾아 ○표 하세요.

1. 나는 간식으로 (도넏 / 도넛)을 먹었다.

2. 새콤달콤한 오렌지 (주스 / 쥬스)가 마시고 싶다.

3. 우리 동네에 새로운 (커피숍 / 커피숖)이 생겼다.

4. 새로 만든 (로케트 / 로켓)을 성공적으로 발사했다.

5. 일요일에 엄마와 함께 (슈퍼마켓 / 슈퍼마켙)을 다녀왔다.

6. 이 장난감 (로보트 / 로봇)은 여러 모양으로 변신할 수 있다.

6 행동을 하게 하는 말 말리다

'물기가 없어지게 하다.'라는 뜻의 '말리다'는 '마르다'에 '~하게 하다'라는 뜻을 더한 표현이에요. 이와 같이 행동을 하게 하는 말은 기본적인 낱말에 '-이-', '-히-', '-리-', '-우-' 등의 말을 덧붙여 만들어요.

빨래가 마르다. (물기가 없어지다.) → 빨래를 말리다. (~하게 하다. / 물기가 없어지게 하다.)

주어진 뜻을 참고하여 문장에 어울리는 낱말을 찾아 ○표 하세요.

뜨다	물 위나 공중에 있거나 위쪽으로 솟아오르다.
띄우다	뜨게 하다.

1. 종이배가 물에 (뜨다 / 띄우다).
2. 강물 위에 배를 (뜨다 / 띄우다).

괴롭다	몸이나 마음이 편하지 않고 고통스럽다.
괴롭히다	괴롭게 하다.

3. 형이 나를 못살게 (괴롭다 / 괴롭히다).
4. 감기가 걸려서 몸이 (괴롭다 / 괴롭히다).

마르다	물기가 다 날아가서 없어지다.
말리다	마르게 하다.

5. 날이 맑아 빨래를 (마르다 / 말리다).
6. 소나기에 젖은 옷이 (마르다 / 말리다).

7 올바른 발음 물이[무리]

앞말의 받침 'ㄹ', 'ㅅ'이 뒷말의 'ㅣ', 'ㅓ'와 같은 모음과 만나면 [리], [러], [시], [서]와 같이 소리 나요.

뒷말의 'ㅣ'를 만나

물 + 이 → 물이[무리]

앞말의 받침 'ㄹ'이 [리]로 소리 남.

밑줄 친 낱말의 알맞은 발음을 찾아 ○표 하세요.

1. 계곡 물이 시원하다. → [무리] [물리]

2. 고추를 간장에 넣고 졸이다. → [조리다] [쪼리다]

3. 새로 담근 김치 맛이 정말 좋다. → [마디] [마시]

4. 친구에게 선물로 받은 옷이 정말 예쁘다. → [오디] [오시]

5. 여러 가지 재료를 넣어 떡볶이를 만들어 놓다. → [만드러] [만들러]

8 형태가 변하는 말 곱다

'움직임을 나타내는 말'이나 '성질이나 상태를 나타내는 말'이 문장에서 모양이 바뀔 때, 그 낱말에 따라 모양이 불규칙하게 바뀌는 경우가 있어요.

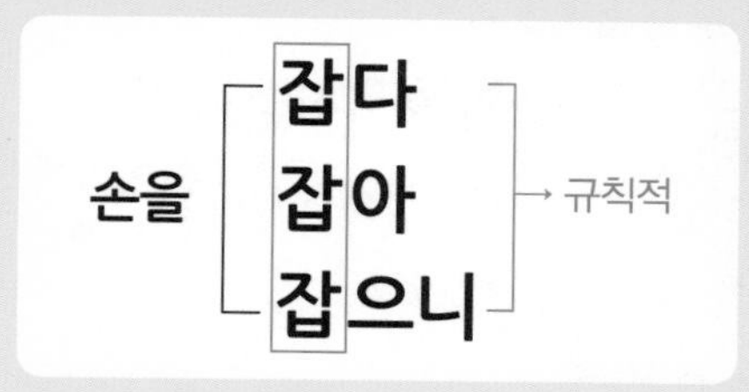

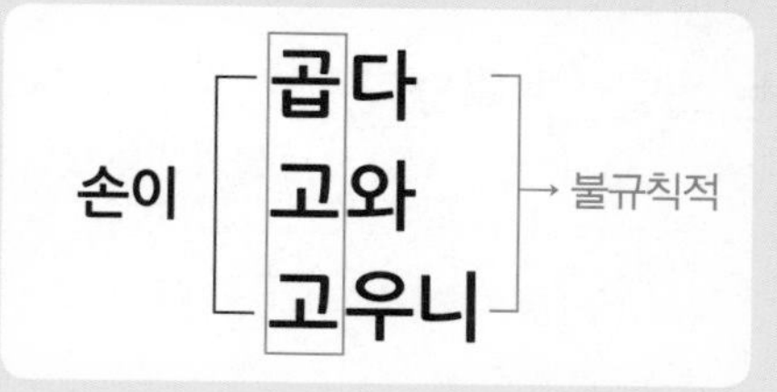

주어진 낱말의 알맞은 형태를 찾아 ○표 하세요.

1. 접다 — 종이비행기를 (접어서 / 접워서) 날렸다.

2. 덥다 — 날이 (덥어서 / 더워서) 아이스크림을 사 먹었다.

3. 잡다 — 물고기를 (잡아서 / 잡어서) 물통에 담아 두었다.

4. 돕다 — 몸이 불편한 친구를 (돕아 / 도와)주어서 칭찬을 받았다.

5. 곱다 — 우리 누나는 마음씨가 (고워서 / 고와서) 사람들이 좋아한다.

더 알아두기

'잡다'와 '접다' 따위의 낱말은 '잡아'와 '접어'처럼 'ㅂ'이 유지되면서 규칙적으로 모양이 바뀌지만 '곱다', '덥다' 따위의 낱말은 'ㅂ'이 '오'나 '우'로 변해 '고와', '더워'처럼 다른 모양으로 바뀌는 경우가 있어요.

9 헷갈리기 쉬운 말 안/않

뒤에 오는 말의 반대 뜻을 나타낼 때에는 '안'을 써요. 이에 반해 앞에 오는 말의 반대 뜻을 나타낼 때에는 '않'을 쓰지요.

나는 밥을 안 먹었다. (뒤에 오는 말의 반대 뜻)

나는 밥을 먹지 않았다. (앞에 오는 말의 반대 뜻)

다음 문장에 알맞은 낱말을 찾아 ○표 하세요.

1. 깜빡하고 감기약을 (안 / 않) 먹었다.
2. 선생님께서 교무실에 (안 / 않) 계셨다.
3. 나는 오늘 감기에 걸려서 학교에 (안 / 않) 갔다.
4. 더 이상은 동생을 괴롭히지 (안기로 / 않기로) 마음먹었다.
5. 다친 발이 아직 낫지 (안아서 / 않아서) 축구를 할 수 없다.
6. 점심을 많이 먹었더니 저녁까지 배가 고프지 (안다 / 않다).

더 알아두기

'안'은 '아니'의 준말이고 '않'은 '아니하-'의 준말이므로 '아니'가 들어갈 자리에는 '안'을 쓰고 '아니하-'가 들어갈 자리에는 '않'을 쓰면 돼요.

10 원고지 쓰기 들여쓰기

새로운 문단이 시작될 때에는 문단의 시작 부분을 한 칸 비워 두고 써야 해요. 이를 '들여쓰기'라고 하지요.

	새	로	운		문	단	이		시	작	될		때	에	는		문	단	의
처	음		왼	쪽		글	머	리	에		한		칸	을		비	워		두
고		써	야		해	요	.												

다음 문장을 들여쓰기를 하여 원고지에 써 보세요.

1. 이야기를 읽고 생각이나 느낌을 나눠요.

						읽	고			
							나	눠	요	.

2. 감각적 표현의 재미를 느끼며 작품을 읽어요.

									재	미
를										읽
어	요	.								

3. 새로운 문단이 시작될 때에는 들여쓰기를 해야 해요.

		때	에	는						
해	야		해	요	.					

6일 월 일

11 타교과 어휘 과학

빈칸에 알맞은 낱말을 [보기]에서 찾아 써 보세요.

보기

간격 관찰 물질 성질 측정 의사소통

1. 불량 식품에는 몸에 해로운 (   )이 들어 있다.
   보고 만질 수 있거나 과학적으로 다룰 수 있는 것

2. 현미경으로 아주 작은 물체도 (   )이 가능하다.
   사물이나 현상을 주의하여 자세히 살펴봄.

3. 우리는 다양한 통신 수단으로 (   )을 할 수 있다.
   서로 자기의 생각이나 뜻을 주고받는 것

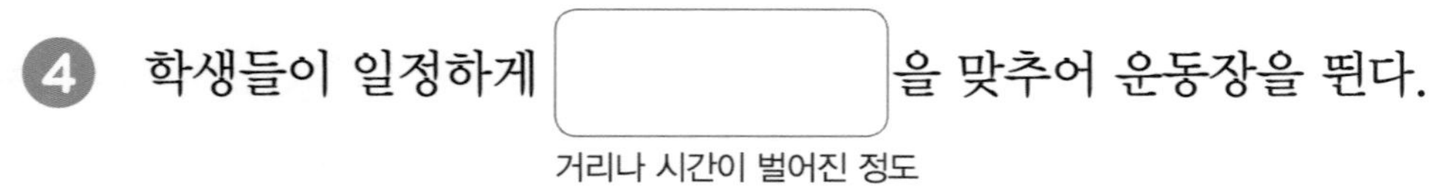

4. 학생들이 일정하게 (   )을 맞추어 운동장을 뛴다.
   거리나 시간이 벌어진 정도

5. 책상의 위치를 바꾸기 위해 책상의 길이를 (   )해 보았다.
   일정한 양을 기준으로 하여 같은 종류의 다른 양의 크기를 잼.

6. 고무줄과 용수철은 잘 늘어난다는 점에서 비슷한 (   )을 갖고 있다.
   사물이나 현상이 가지고 있는 고유의 특징

빈칸에 알맞은 낱말을 찾아 ○표 하고, 바르게 써 보세요.

1. 자연 현상을 (   ). → 탐구하다 / 수고하다
학문 따위를 파고들어 깊이 연구하다.

2. 나무는 물에 뜰 것이라고 (   ). → 예상하다 / 상상하다
어떤 일을 직접 당하기 전에 미리 생각하여 두다.

3. 컴퓨터를 이용하여 제품을 (   ). → 계산하다 / 설계하다
건축, 기계 제작 따위에서 실제적인 계획을 세워 그림이나 설명 따위로 나타내다.

4. 금속 막대가 물에 뜨지 않고 (   ). → 가라앉다 / 갈아앉다
물 따위에 떠 있거나 섞여 있는 것이 밑바닥으로 내려앉다.

5. 친구가 낸 퀴즈의 정답을 바로 (   ). → 알아맞히다 / 알아맞추다
알맞은 답을 알아서 맞게 하다.

6. 실험의 결과를 실험 보고서에 (   ). → 시시하다 / 명시하다
분명하게 드러내 보이다.

어휘력을 높이는 확인 학습

다음 빈칸에 글자를 넣어 낱말을 완성하세요.

낱말	뜻
1 반□하다	가루에 물을 부어 이겨 내다.
2 심□꾸□기	심술이 매우 많은 사람
3 장□꾸□기	장난이 심한 사람
4 튀□다	끓는 기름에 넣어서 부풀어 나게 하다.
5 □임	몇 가지 부분을 모아 일정한 전체를 짜 이룸.
6 □심	사물의 행동에서 매우 중요하고 기본이 되는 부분
7 □받□	뒤에서 지지하고 도와주는 일
8 문□	문장이 몇 개 모여 한 가지 생각을 나타내는 글의 한 도막
9 문□	생각이나 감정을 말과 글로 표현할 때 하나의 정리된 뜻을 나타내는 말의 단위
10 □□앉다	물 따위에 떠 있거나 섞여 있는 것이 밑바닥으로 내려앉다.

정답 1. 죽 2. 술, 러 3. 난, 러 4. 기 5. 짜 6. 중 7. 뒷, 침 8. 단 9. 장 10. 가, 라

11 □다	음식을 불에 익히다.
12 □시하다	분명하게 드러내 보이다.
13 □격	거리나 시간이 벌어진 정도
14 □구하다	학문 따위를 파고들어 깊이 연구하다.
15 괴□□다	몸이나 마음이 편하지 않고 고통스럽게 하다.
16 □질	보고 만질 수 있거나 과학적으로 다룰 수 있는 것
17 □상하다	어떤 일을 직접 당하기 전에 미리 생각하여 두다.
18 띄□다	물 위나 공중에 있거나 위쪽으로 솟아오르게 하다.
19 □정	일정한 양을 기준으로 하여 같은 종류의 다른 양의 크기를 잼.
20 설□하다	건축, 기계 제작 따위에서 실제적인 계획을 세워 그림이나 설명 따위로 나타내다.

정답 11. 굽 12. 명 13. 간 14. 탐 15. 롭, 히 16. 물 17. 예 18. 우 19. 측 20. 계

3장 알맞은 높임 표현

국어 교과서 86~107쪽

1 높임 표현 1 −요, −습니다

높임 표현에는 대상을 공경하는 마음이 담겨 있어요. '−요', '−습니다'를 말끝에 붙이면 높임의 뜻을 나타낼 수 있어요.

꽃이 참 예뻐. → (높임) 꽃이 참 예뻐요. / 꽃이 참 예쁩니다.

다음 문장에 알맞은 말을 찾아 ○표 하세요.

1. 아버지, 오늘 저녁에 늦게 (와 / 오시나요)?

2. 할머니, 빨리 (보고 싶어 / 보고 싶어요).

3. 어머니, 새로 산 그릇이 정말 (예뻐 / 예뻐요).

4. 영수야, 지금 약속 장소로 가고 (있어 / 있어요).

5. 어머니, 친구들과 소풍을 (다녀왔어 / 다녀왔습니다).

6. 저는 마음껏 뛰어놀 수 있는 체육 시간을 (좋아해 / 좋아합니다).

2 높임 표현 2 께, 께서

7일

월

일

높임의 대상 뒤에는 '이/가' 대신에 '께서'를, '에게' 대신에 '께'를 붙여 써야 해요.

친구가 온다. → 선생님께서 오신다.
높임의 대상 뒤에 붙음.

친구에게 줄 편지 → 선생님께 드릴 편지
높임의 대상 뒤에 붙음.

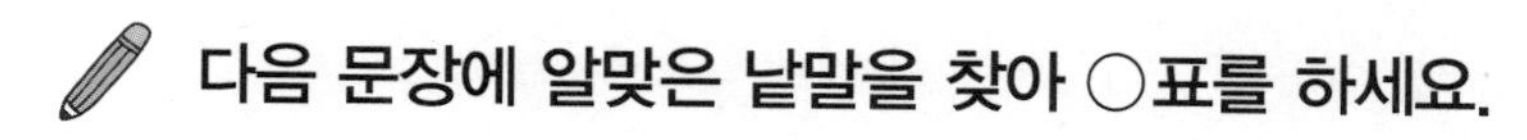

다음 문장에 알맞은 낱말을 찾아 ○표를 하세요.

1. 선생님(이 / 께서) 너 오라고 하셔.

2. 할머니(가 / 께서) 우리 집에 오셨다.

3. 이것은 동생(에게 / 께) 줄 선물이에요.

4. 아버지(에게 / 께) 여쭈어 볼 것이 있어요.

5. 어제 다툰 친구(에게 / 께) 사과의 말을 건넸다.

6. 어머니(가 / 께서) 아주머니께 이것을 가져다 드리래요.

3 높임 표현 3 진지

'진지'는 '밥'을 높여서 이르는 말이고, '생신'은 '생일'을 높여서 이르는 말이에요. 이처럼 상대방을 높일 때에 높임의 뜻을 가진 특별한 낱말을 사용하기도 해요.

너 밥 먹었니?

할머니, 진지 드셨어요?
'밥'을 높이는 말

다음 문장에 알맞은 낱말을 찾아 ○표 하세요.

1. 오늘 몇 (분 / 명)이 오십니까? — '사람'의 높임말

2. 할아버지께서 (끼니 / 진지)를 잡수신다. — '밥'의 높임말

3. 선생님의 (명함 / 성함)은 어떻게 되시는지요? — '이름'의 높임말

4. 제가 할머니를 (데리시고 / 모시고) 가겠습니다. — '데리다'의 높임말

5. 어머니께서 요즘 많이 (편찮으시다 / 아프시다). — '아프다'의 높임말

6. 증조할아버지께서 작년에 (돌아가셨다 / 죽으셨다). — '죽다'의 높임말

4 꾸며 주는 말 갑자기

'갑자기'는 '미처 생각할 겨를도 없이 급히'라는 뜻의 낱말이에요. 다른 낱말이나 문장을 꾸며 주는 역할을 하지요.

갑자기 골목에서 사람이 튀어나왔다.
꾸며 줌.

빈칸에 알맞은 낱말을 [보기]에서 찾아 써 보세요.

보기

더욱 아직 특히 갑자기 오히려 저절로

1. 감기가 [　　　] 나았다.
   다른 힘을 빌리지 아니하고 제 스스로

2. 동생은 [　　　] 잠을 자고 있다.
   끝나지 아니하고 계속되고 있음을 나타내는 말

3. [　　　] 소나기가 쏟아지기 시작했다.
   미처 생각할 겨를도 없이 급히

4. 나는 과일 중에서도 [　　　] 딸기를 좋아한다.
   보통과 다르게

5. 아이들은 [　　　] 신이 나서 더 크게 떠들어 댔다.
   정도나 수준이 더 높게

6. 자기가 약속을 지키지 않았으면서 [　　　] 큰소리를 친다.
   기대하는 것과 반대로

5 뜻을 더하는 말 –거리다

'–거리다'는 다른 낱말의 뒤에 붙어 '그런 상태가 잇따라 계속됨.'의 뜻을 더하는 말이에요.

벌름 + -거리다: 자꾸 벌렸다 오므렸다 하다.
그런 상태가 잇따라 계속됨.

밑줄 친 낱말에 알맞은 뜻을 찾아 연결하세요.

1. 배가 흔들거리다. • • 이리저리 자꾸 흔들리다.
2. 자꾸 힐끔거리다. • • 자꾸 벌렸다 오므렸다 하다.
3. 어느 길로 갈지 머뭇거리다. • • 눈알을 굴려 자꾸 슬쩍슬쩍 쳐다보다.
4. 강아지가 코를 벌름거리다. • • 음식을 자꾸 억지로 매우 느리게 먹다.
5. 입맛이 없어 밥을 깨작거리다. • • 말이나 행동 따위를 금방 결정하지 못하고 자꾸 망설이다.
6. 아이들이 교실에서 수군거리다. • • 남이 알아듣지 못하도록 낮은 목소리로 자꾸 가만가만 이야기하다.

6 모양을 흉내 내는 말 절레절레

'절레절레'는 '머리를 좌우로 흔드는 모양'을 흉내 내는 말이에요. 흉내 내는 말을 사용하면 실감 나고 재미있게 말할 수 있어요.

고개를 **절레절레** 젓다.
머리를 좌우로 흔드는 모양

빈칸에 알맞은 낱말을 [보기]에서 찾아 써 보세요.

보기

버럭 후다닥 껑충껑충 꼬박꼬박 부들부들 절레절레

1. 신이 나서 (　　　　) 뛰었다.
   긴 다리를 모으고 계속 힘 있게 솟구쳐 뛰는 모양

2. 할아버지가 (　　　　) 화를 내셨다.
   화가 나서 갑자기 소리를 냅다 지르는 모양

3. 거절의 뜻으로 고개를 (　　　　) 저었다.
   머리를 좌우로 흔드는 모양

4. 화가 나서 입술을 깨물고 (　　　　) 떨었다.
   몸을 자꾸 크게 부르르 떠는 모양

5. 참새는 사람이 다가가자 (　　　　) 날아올랐다.
   갑자기 빠른 동작으로 뛰거나 몸을 움직이는 모양

6. 나는 한 달에 한 번씩 할머니께 (　　　　) 편지를 쓴다.
   조금도 어김없이 고대로 계속하는 모양

7 줄여 쓰는 말 재밌다

낱말의 일부분이 줄어든 것을 '준말'이라고 해요. 줄어들기 이전의 낱말은 '본말'이라고 하지요.

참 재미있다. → 참 재밌다.
본말 준말

밑줄 친 낱말의 알맞은 본말을 찾아 ○표 하세요.

1. 이번 주 청소 당번은 저예요. → 이에요 / 이여요

2. 따끈할 때, 이것 좀 잡숴 보세요. → 잡수어 / 잡수아

3. 네가 추천해 준 이 책은 정말 재밌다. → 재미있다 / 재미없다

4. 선생님께 출석부를 갖다 드리고 올게. → 가저다 / 가져다

5. 내가 자리를 비운 새에 친구가 왔었다. → 서이 / 사이

8 자주 쓰는 말 고개를 숙이다

'고개를 숙이다.'라는 말은 '머리를 아래로 향하게 하다.'라는 원래의 의미로도 쓰이지만, 다른 사람에게 항복하거나 겸손한 마음을 나타내는 말로도 쓰여요.

그는 **고개를 숙이며** 잘못을 사과했다.
사과 · 양보하는 마음으로 머리를 수그리며

밑줄 친 말에 알맞은 뜻을 찾아 연결하세요.

1. 동생에게 혀를 내밀다.
2. 사과를 하며 고개를 숙이다.
3. 버릇없는 아이를 보고 혀를 차다.
4. 전쟁이 끝나고 한참 후에야 허리를 펴다.
5. 떼를 쓰는 아이에게 호통을 치다.

- 남을 비웃다.
- 크게 꾸짖고 주의를 주다.
- 사과 · 양보하는 마음으로 머리를 수그리다.
- 어려운 때를 넘기고 편하게 지내게 되다.
- 마음이 좋지 않거나 불만스러운 뜻을 나타내다.

9 문장 부호

글의 내용을 제대로 전달하기 위해 문장에 사용하는 부호들을 '문장 부호'라고 해요.

마침표(.): 문장을 끝내는 표시로 쓰는 문장 부호
물음표(?): 물음이나 의심을 나타내는 문장의 끝에 쓰는 문장 부호
느낌표(!): 강한 감탄의 느낌을 나타내기 위해 문장 끝에 쓰는 부호

다음 두 아이의 대화를 보고 빈칸에 알맞은 문장 부호를 써 보세요.

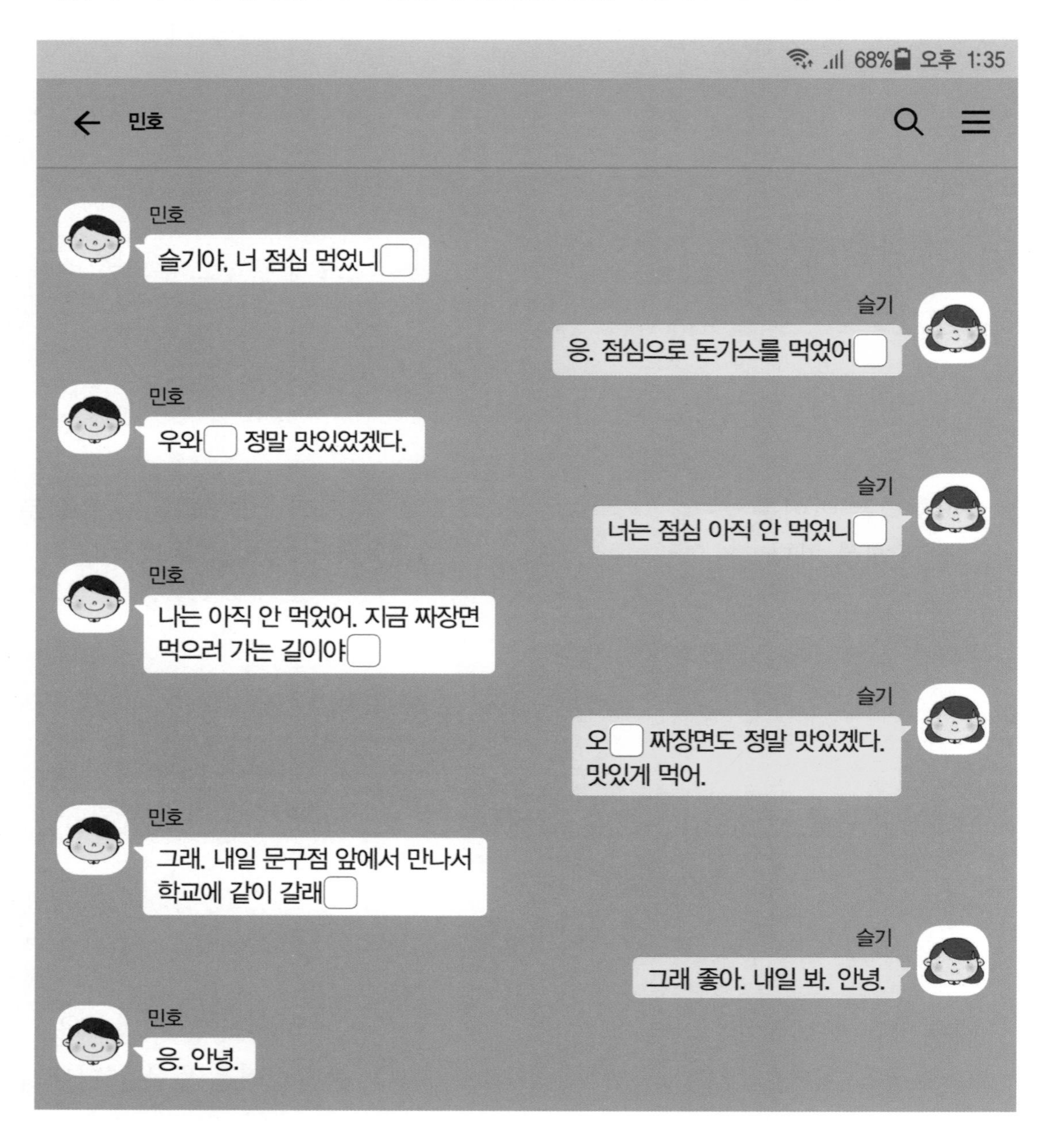

10 올바른 발음 않고[안코]

받침 'ㅎ'은 뒤에 오는 자음과 만나면 거센소리로 변해요. 'ㅎ'과 'ㄱ, ㄷ, ㅂ, ㅈ'가 만나면 각각 '[ㅋ], [ㅌ], [ㅍ], [ㅊ]'로 발음이 돼요.

뒤따르는 'ㄱ'을 만나

않 + 고 → 않고[안코]

앞말의 받침 'ㅎ'이 [ㅋ]로 소리 남.

밑줄 친 낱말의 알맞은 발음을 찾아 ○표 하세요.

1. 아이의 엉덩이에 주사를 맞히다. ⇨ [맏히다] [마치다]

2. 친구와 다투어 기분이 좋지 않다. ⇨ [안다] [안타]

3. 가져 온 책은 거기에 놓고 가세요. ⇨ [녿코] [노코]

4. 그는 몸을 굽혀 떨어뜨린 연필을 주었다. ⇨ [구벼] [구펴]

5. 외출 준비를 하며 주머니에 지갑을 넣다. ⇨ [너:타] [넏:따]

6. 기초를 쌓지 않으면 실력을 키울 수 없다. ⇨ [싸치] [싸찌]

9일 월 일

11 타교과 어휘 도덕

빈칸에 알맞은 낱말을 [보기]에서 찾아 써 보세요.

보기

믿음 배려 위로 정성 존중 마음가짐

1. 올바른 (   )을 가지도록 노력해야 한다.
   마음의 자세

2. 가까운 친구일수록 서로를 (   )해야 한다.
   높이어 귀중하게 대함.

3. 나는 다리를 다친 경민이를 (   )을 다해 도와주었다.
   온갖 힘을 다하려는 참되고 성실한 마음

4. 내가 경기에서 졌을 때 친구가 해 준 말이 (   )가 되었다.
   따뜻한 말이나 행동으로 슬픔을 달래 줌.

5. 자리를 바꿔 준 유정이의 (   ) 덕분에 칠판을 잘 볼 수 있었다.
   도와주거나 보살펴 주려고 마음을 씀.

6. 수진이는 평소에 거짓말을 안 해서 수진이가 하는 말은 (   )이 간다.
   어떤 사실이나 사람을 믿는 마음

밑줄 친 낱말에 알맞은 뜻을 찾아 연결하세요.

❶ 친구 사이에 우정을 잘 가꾸다.	진실하고 올바르다.
❷ 친구의 착한 마음씨를 본받다.	본보기로 하여 그대로 따라하다.
❸ 나와 영수의 우정은 매우 참되다.	마음속에 품고 있는 사실을 숨김없이 말하다.
❹ 친구에게 고민을 모두 털어놓다.	좋은 상태로 만들려고 보살피고 꾸려 가다.
❺ 전학 간 친구를 그리워하는 마음이 싹트다.	어떤 생각이나 감정, 현상 따위가 처음 생겨나다.
❻ 남의 말은 듣지 않고 자기 생각만 내세우다.	의견 따위를 내놓고 주장하다.

9일

월

일

어휘력을 높이는 확인 학습

다음 빈칸에 낱말을 넣어 문장을 완성하세요.

진지
'밥'의 높임말
예 할아버지께서 □□를 잡수신다.

성함
'이름'의 높임말
예 방명록에 □□을 적어 주십시오.

오히려
기대하는 것과 반대로
예 고마운 것은 □□□ 내 쪽이다.

저절로
다른 힘을 빌리지 아니하고 제 스스로
예 손도 안 댔는데 문이 □□□ 닫혔다.

편찮다
몸이나 마음이 불편하고 괴롭다.
예 할아버지께서 □□으셔서 병원에 가셨다.

깨작거리다
음식을 자꾸 억지로 매우 느리게 먹다.
예 내 짝은 입맛이 없다고 밥을 □□거렸다.

수군거리다
남이 알아듣지 못하도록 낮은 목소리로 자꾸 가만가만 이야기하다.
예 아이들은 재미없는 얘기를 □□거리며 웃고 있었다.

머뭇거리다
말이나 행동 따위를 금방 결정하지 못하고 자꾸 망설이다.
예 나는 싸우고 있는 친구들 사이에서 누구 편을 들지 몰라 □□거렸다.

참되다	진실하고 올바르다. 예 나와 민희의 우정은 □ 된 우정이다.
부들부들	몸을 자꾸 크게 부르르 떠는 모양 예 나는 심한 추위에 몸을 □□□□ 떨었다.
배려	도와주거나 보살펴 주려고 마음을 씀. 예 친구의 세심한 □□에 몹시 감동을 받았다.
꼬박꼬박	조금도 어김없이 고대로 계속하는 모양 예 나는 매일 저녁마다 □□□□ 일기를 쓴다.
가꾸다	좋은 상태로 만들려고 보살피고 꾸려 가다. 예 우리말을 바르게 사용하고 잘 □□어야 한다.
싹트다	어떤 생각이나 감정, 현상 따위가 처음 생겨나다. 예 그 둘 사이에는 사랑의 감정이 □□고 있었다.
힐끔거리다	눈알을 굴려 자꾸 슬쩍슬쩍 쳐다보다. 예 뒷자리에 앉은 사람이 나를 □□거리는 것 같았다.
절레절레	머리를 좌우로 흔드는 모양 예 친구가 배가 고프냐고 물어서 고개를 □□□□ 흔들었다.

4장 내 마음을 편지에 담아

국어 교과서 108~133쪽

1 마음을 나타내는 말

우리는 상황에 따라 상대에게 그에 맞는 마음을 표현하고 있어요.

다음 상황에 가장 어울리는 낱말을 [보기]에서 찾아 써 보세요.

보기

감사　　축하　　사과　　칭찬

1

아이가 집안일을 도울 때

2

이웃에게 음식을 받았을 때

3

친구의 생일잔치에 갔을 때

4

실수로 친구의 발을 밟았을 때

2 주제별 어휘 날

우리말에는 '날'을 나타내는 말이 있어요. '오늘'은 '지금 지나가고 있는 이날'을 의미해요.

빈칸에 알맞은 낱말을 [보기]에서 찾아 써 보세요.

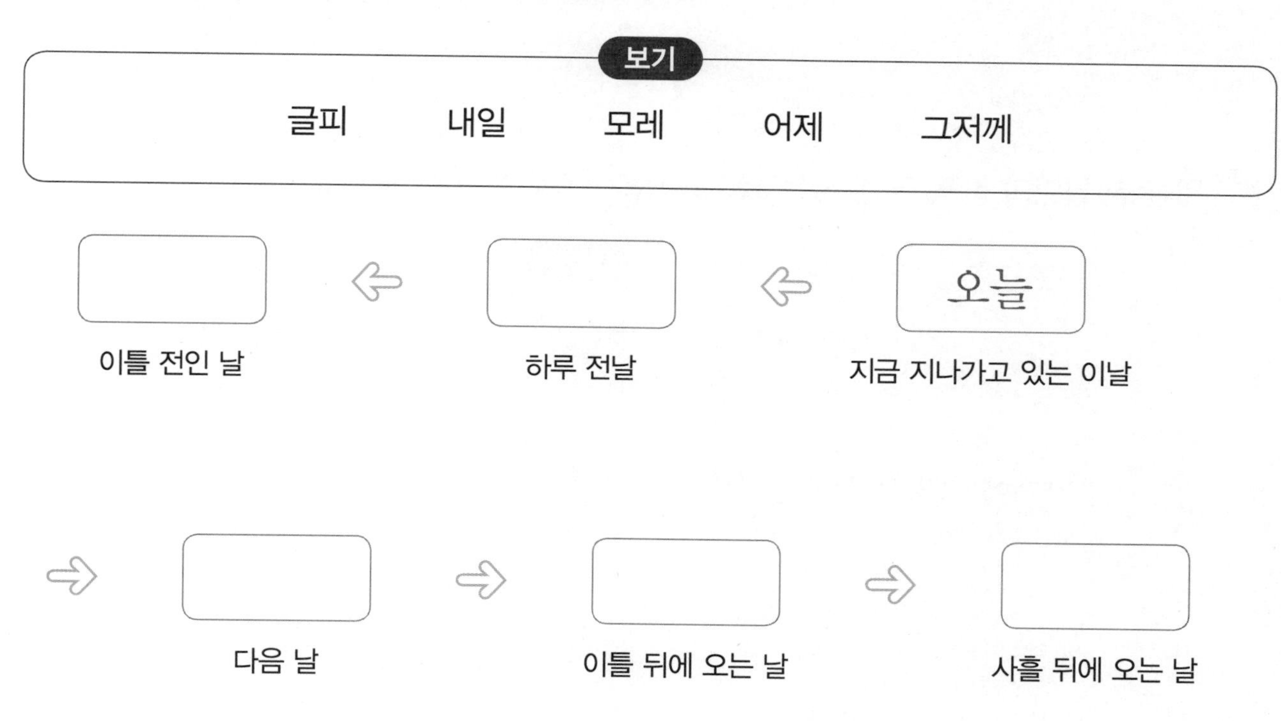

밑줄 친 부분을 한 낱말로 바꿔 빈칸에 써 보세요.

1. 어제의 전날인 [　　　]는 할머니의 생신이었다.

2. 모레의 다음 날인 [　　　]에 학교에서 소풍을 간다.

3 바꿔 쓸 수 있는 말 1 가게

'가게'와 '상점'은 '물건을 파는 곳'을 가리키는 말로, 비슷한 뜻을 지니고 있어요. 이와 같이 뜻이 비슷한 낱말들은 서로 바꿔 쓸 수 있어요.

[가게 / 상점]에 물건을 사러 가다.
바꿔 쓸 수 있음.

밑줄 친 낱말과 바꿔 쓸 수 있는 낱말을 [보기]에서 찾아 써 보세요.

보기

상점 일터 취업 산울림 판매원

1. 이 가게에서 많은 물건을 샀다. →
   물건을 파는 곳

2. 그녀는 서점에서 점원으로 일했다. →
   물건을 파는 사람

3. 그는 바라던 회사에 취직이 되었다. →
   일정한 직업을 잡아 직장에 나감.

4. 내일부터 새로운 직장에 출근을 한다. →
   직업을 가지고 일하는 곳

5. 메아리 소리에 노루가 놀라 날뛰었다. →
   소리가 산이나 절벽에 부딪쳐 되울려오는 소리

4 바꿔 쓸 수 있는 말 2 감동하다

'감동하다'와 '감격하다'는 모두 '크게 느끼어 마음이 움직이다.'라는 뜻을 지니고 있어요.

사진 작품을 보고 [감동하다 / 감격하다].
바꿔 쓸 수 있음.

10일
월
일

밑줄 친 낱말과 바꿔 쓸 수 있는 낱말을 [보기]에서 찾아 써 보세요.

보기

뛰다 기쁘다 감격하다 격려하다 대단하다

1. 진수는 축구에 대한 열정이 엄청나다. → (   )
   생각보다 정도가 아주 심하다.

2. 무서운 이야기를 듣고 가슴이 두근거리다. → (   )
   몹시 놀라거나 불안하여 가슴이 자꾸 뛰다.

3. 열심히 준비한 미술 대회를 앞둔 친구를 북돋우다. → (   )
   기운이나 정신을 높여 주다.

4. 내가 좋아하는 친구와 보내는 시간은 정말 즐겁다. → (   )
   기분이 매우 좋다.

5. 주인공이 어려움을 이겨 내는 장면을 보고 감동하다. → (   )
   크게 느끼어 마음이 움직이다.

5 띄어쓰기 만큼

'만큼'이 이름을 나타내는 말 뒤에서 앞말과 비슷한 정도임을 나타낼 때에는 앞말과 붙여 써요. 주로 '-ㄴ/-ㄹ'로 끝나는 말 뒤에서 앞에서 말한 정도임을 나타낼 때에는 앞말과 띄어 써요.

나도 너만큼 할 수 있어.
이름을 나타내는 말 뒤에서

주는 만큼 받다.
'-ㄴ/-ㄹ'로 끝나는 말 뒤에서

주어진 내용을 보고, 띄어쓰기가 알맞은 것을 찾아 ○표 하세요.

만큼		
	앞말과 붙여 쓸 때	이름을 나타내는 말 뒤에서
	앞말과 띄어 쓸 때	'-ㄴ/-ㄹ'로 끝나는 말 뒤에서

1. 나도 (너만큼 / 너 만큼) 축구를 잘하고 싶어.

2. (노력한만큼 / 노력한 만큼) 좋은 결과가 나왔다.

3. 집 안은 숨소리가 (들릴만큼 / 들릴 만큼) 조용했다.

대로		
	앞말과 붙여 쓸 때	이름을 나타내는 말 뒤에서
	앞말과 띄어 쓸 때	'-ㄴ/-ㄹ'로 끝나는 말 뒤에서

4. 네가 직접 (본대로 / 본 대로) 이야기해 봐.

5. 작은 것은 작은 (것대로 / 것 대로) 모아 두었다.

6. (예상했던대로 / 예상했던 대로) 시험이 어려웠다.

6 뜻이 여러 가지인 말 갈다

'갈다'는 '서로 다르지 않다.'라는 뜻 외에도 '미루어 짐작하다.'라는 뜻으로 쓰여요.

나는 슬기와 혈액형이 같다. (서로 다르지 않다.)

오늘은 날씨가 맑을 것 같다. (미루어 짐작하다.)

밑줄 친 낱말의 뜻을 [보기]에서 찾아 번호를 써 보세요.

보기

같다 ① 서로 다르지 않다.
② 미루어 짐작하다.

1. 나는 옆집에 사는 아이와 나이가 같다. → ☐
2. 정수는 준수와 키가 다르지만 몸무게는 같다. → ☐
3. 하늘을 보니 먹구름이 가득하여 비가 올 것 같다. → ☐

보기

담다 ① 어떤 물건을 그릇 따위에 넣다.
② 어떤 내용이나 생각을 그림, 말, 표정 따위 속에 넣다.

4. 쌀을 쌀통에 가득 담다. → ☐
5. 친구에게 줄 선물에 고마운 마음을 담다. → ☐
6. 눈앞에 펼쳐진 아름다운 풍경을 그림에 담다. → ☐

7 뜻을 더하는 말 잔–

'잔–'은 몇몇 낱말의 앞에 붙어 '가늘고 작은' 또는 '사소한' 등의 뜻을 더하는 말이에요.

뒷말에 뜻을 더함.
잔 + 풀 → 잔풀
작은 풀

뒷말에 뜻을 더함.
잔 + 가지 → 잔가지
작은 나뭇가지

주어진 뜻에 알맞은 낱말을 써 보세요.

1. 약고도 얕은 꾀 → 잔 ☐
2. 매우 가늘고 짧은 털 → 잔 ☐
3. 흔히 앓는 자질구레한 병 → 잔 ☐
4. 여러 가지 자질구레한 심부름 → 잔 ☐ ☐ ☐
5. 쓸데없이 자질구레한 말을 늘어놓음. 또는 그 말 → 잔 ☐ ☐
6. 머리에서 몇 오라기 빠져나온 짧고 가는 머리카락 → 잔 ☐ ☐

8 헷갈리기 쉬운 말 꽂다 / 꼽다

'꽂다'와 '꼽다'는 모양은 비슷하지만 전혀 다른 뜻을 가지고 있어요. '꽂다'는 '쓰러지거나 빠지지 아니하게 박아 세우거나 끼우다.'라는 뜻이고 '꼽다'는 '수나 날짜를 세려고 손가락을 하나씩 헤아리다.'라는 뜻이에요.

책꽂이에 책을 **꽂다.** (꼽다(×))	손가락을 **꼽다.** (꽂다(×))

11일 월 일

주어진 뜻을 참고하여 문장에 어울리는 낱말을 찾아 ○표 하세요.

꽂다	단단하게 박아 세우거나 끼우다.
꼽다	손가락을 접으며 하나씩 헤아리다.

1. 머리에 핀을 (꽂다 / 꼽다).

2. 예쁜 꽃을 꽃병에 (꽂다 / 꼽다).

3. 친구와의 약속이 며칠 남았는지 손가락을 (꽂다 / 꼽다).

가르치다	지식 따위를 알려 주다.
가리키다	손가락 따위로 어떤 방향이나 대상을 집어서 알리다.

4. 손가락으로 건너편을 (가르치다 / 가리키다).

5. 시곗바늘이 오후 세 시를 (가르치다 / 가리키다).

6. 우리 엄마는 주말마다 나에게 피아노를 (가르쳐 / 가리켜) 주신다.

9 문장 부호

큰따옴표와 작은따옴표는 원고지 한 칸의 끝에 쓰고, 말줄임표는 원고지 한 칸에 세 개씩 써요.

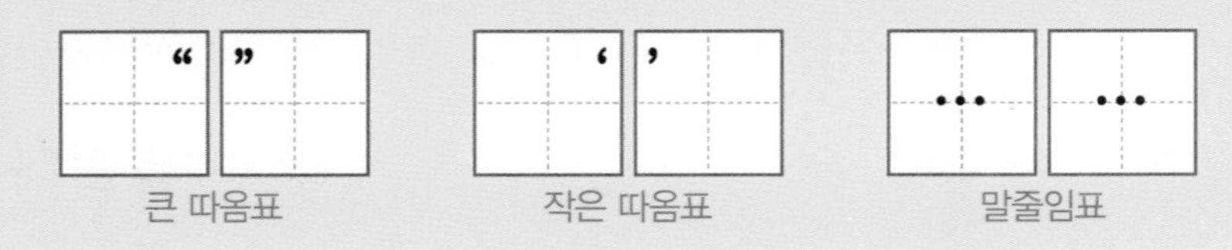

큰 따옴표 작은 따옴표 말줄임표

문장 부호에 주의하며 다음 원고지에 글을 따라 써 보세요.

❶

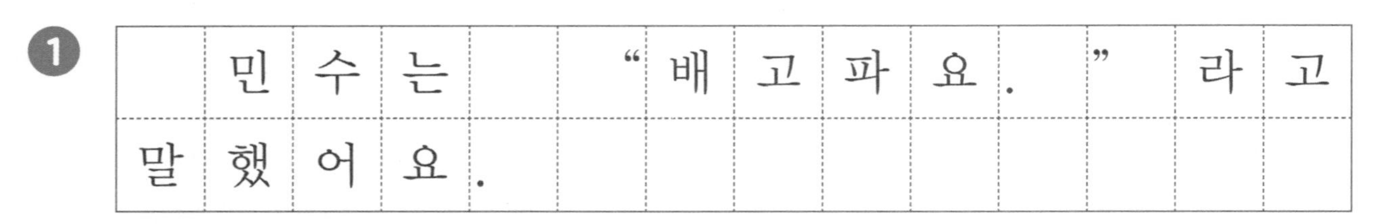

	민	수	는		“	배	고	파	요	.	”	라	고
말	했	어	요	.									

*큰따옴표는 직접 말한 내용을 그대로 전달할 때 써요.

❷

	민	수	는		‘	배	고	프	다	.	’	라	고
생	각	했	어	요	.								

*작은따옴표는 마음속으로 한 말을 적을 때 써요.

❸

	그		나	무	가		사	라	진		모	습	을
보	니		정	말	…	…		속	상	했	다	.	

*말줄임표는 할 말을 줄였을 때나 말이 없음을 나타낼 때, 또는 문장이나 글의 일부를 생략할 때, 머뭇거림을 보일 때 써요.

10 행동을 당하는 말 뽑히다

우리말에는 스스로 움직이는 일을 나타내는 말과 남의 힘에 의하여 움직이는 일을 나타내는 말이 있어요. '뽑다'는 '박힌 것을 잡아당기어 빼내다.'라는 뜻이고, '뽑히다'는 '박힌 것이 잡아 당기어 빠지다.'라는 뜻이에요.

나무를 **뽑다**. (빼냄.)	나무가 **뽑히다**. (빠지게 됨.)

12일 월 일

다음 문장에 어울리는 낱말을 찾아 ○표 하세요.

1. 신나는 음악을 (듣다 / 들리다).
2. 어디선가 신나는 음악 소리가 (듣다 / 들리다).
3. 강한 태풍에 풀이 (뽑다 / 뽑히다).
4. 농부가 밭에서 풀을 (뽑다 / 뽑히다).
5. 학생들을 운동장으로 (모으다 / 모이다).
6. 운동장에 많은 학생이 (모으다 / 모이다).
7. 담쟁이덩굴이 건물을 (뒤덮다 / 뒤덮이다).
8. 건물이 담쟁이덩굴로 (뒤덮다 / 뒤덮이다).

11 타교과 어휘 수학

빈칸에 알맞은 낱말을 [보기]에서 찾아 써 보세요.

보기

량 편 톨 통 송이 조각

❶ 꽃 한 [ ]

❷ 밤 한 [ ]

❸ 열차 한 [ ]

❹

케이크 한 [ ]

❺ 수박 한 [ ]

❻ 영화 한 [ ]

그림을 참고하여 낱말에 알맞은 뜻을 찾아 연결하세요.

❶ 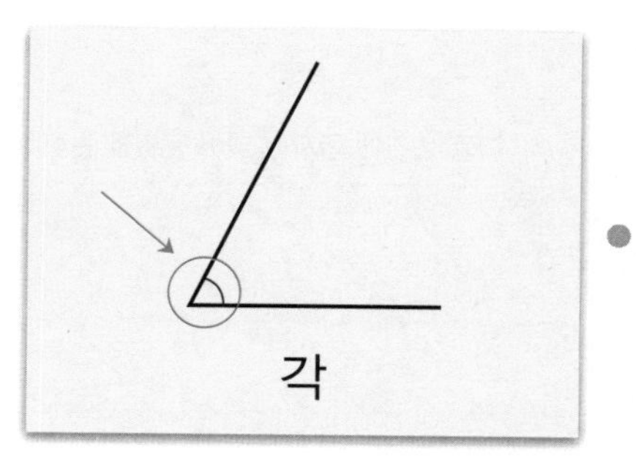

❷ 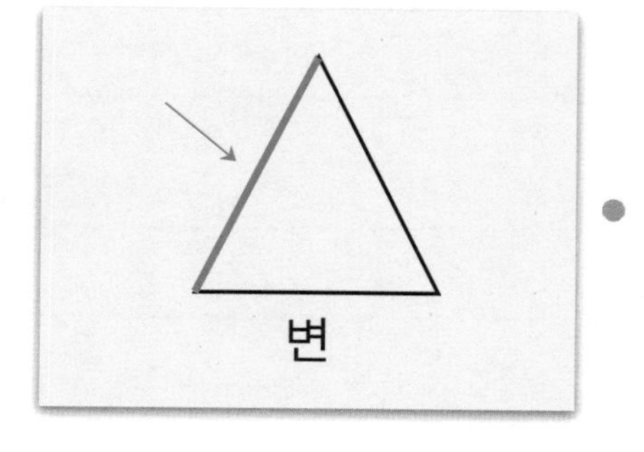

❸ 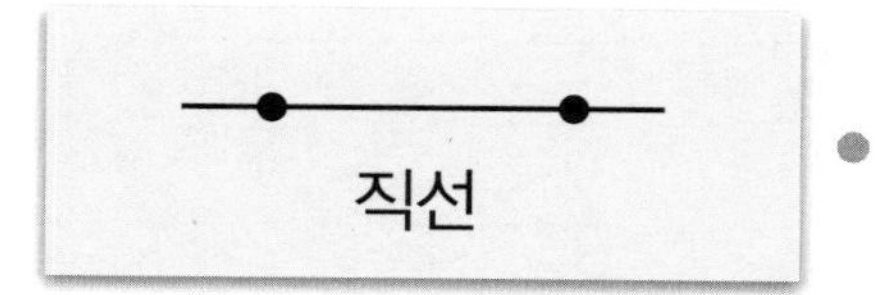

❹ 

❺ 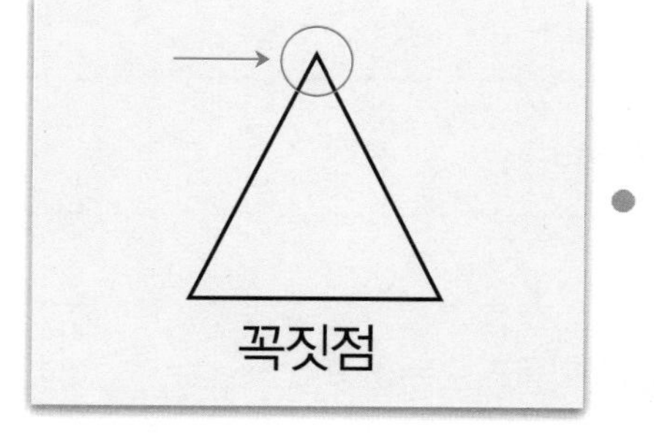

❻ 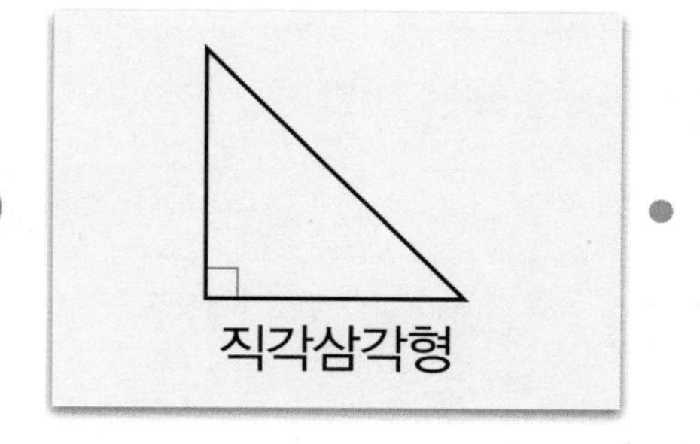

- 두 점을 곧게 이은 선
- 한 각이 직각인 삼각형
- 다각형을 이루는 각 선분
- 각을 이루고 있는 두 변이 만나는 점
- 양쪽으로 끝없이 늘인 곧은 선
- 한 점에서 그은 두 반직선으로 이루어진 도형

어휘력을 높이는 확인 학습

다음 빈칸에 글자를 넣어 낱말을 완성하세요.

1 □피	사흘 뒤에 오는 날
2 일□	직업을 가지고 일하는 곳
3 판□원	물건을 파는 사람
4 □돋□다	기운이나 정신을 높여 주다.
5 □동하다	크게 느끼어 마음이 움직이다.
6 □청□다	생각보다 정도가 아주 심하다.
7 □늘	지금 지나가고 있는 이날
8 □직	일정한 직업을 잡아 직장에 나감.
9 산□림	소리가 산이나 절벽에 부딪쳐 되울려오는 소리
10 □소□	쓸데없이 자질구레한 말을 늘어놓음. 또는 그 말

정답 1. 글 2. 터 3. 매 4. 북, 우 5. 감 6. 엄, 나 7. 오 8. 취 9. 울 10. 잔, 리

11 □ 꾀	약고도 얕은 꾀
12 선 □	두 점을 곧게 이은 선
13 □□ 삼각형	한 각이 직각인 삼각형
14 가 □□ 다	지식 따위를 알려 주다.
15 □ 선	양쪽으로 끝없이 늘인 곧은 선
16 □ 다	단단하게 박아 세우거나 끼우다.
17 □ 다	손가락을 접으며 하나씩 헤아리다.
18 □ 짓 □	각을 이루고 있는 두 변이 만나는 점
19 □ 머리	머리에서 몇 오라기 빠져나온 짧고 가는 머리카락
20 가 □□ 다	손가락 따위로 어떤 방향이나 대상을 집어서 알리다.

정답 11. 잔 12. 분 13. 직, 각 14. 르, 치 15. 직 16. 꽂 17. 꼽 18. 꼭, 점 19. 잔 20. 리, 키

5장 중요한 내용을 적어요

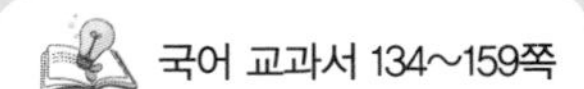

1 메모의 중요성

중요한 내용을 보거나 들을 때에는 간추려서 메모해 두는 것이 좋아요. 메모를 하면 듣고 보고 생각한 것을 다시 떠올리는 데 도움이 돼요.

밑줄 친 낱말에 알맞은 뜻을 찾아 연결하세요.

	문장		뜻
1	메모를 하며 들으세요.		말, 글 속에 담아 전하고자 하는 것
2	편지의 내용이 무엇이니?		가장 중요하고 중심이 되는 사실
3	시간이 없으니 요점만 말해라.		기본적인 부분만을 따 낸 줄거리
4	친구에게 그 일의 대강만을 말했다.		자신이 기억한 것을 잊지 않으려고 짧게 쓴 글
5	그는 아무 설명도 없이 갑자기 자리에서 일어났다.		전하고자 하는 것을 상대편이 잘 알 수 있도록 말함.

2 주제별 어휘 도서관

도서관에서는 여러 자료들을 모아 분류하고 정리하는 일을 해요. 사람들은 이렇게 정리한 자료들을 보기 위해 도서관을 찾지요.

13일

월

일

빈칸에 알맞은 낱말을 [보기]에서 찾아 써 보세요.

보기

검색　보존　분류　수집　정리

1. 이 도서관은 책의 (　　　) 상태가 좋다.
   잘 보호하고 지키어 남김.

2. 나의 취미는 요리책을 (　　　)하는 것이다.
   여러 가지 물건이나 재료를 찾아 모음.

3. 사서 선생님께 도서 (　　　) 기준을 여쭤보았다.
   종류에 따라서 가름.

4. 자료를 쓰임별로 (　　　)해 두니 이용하기 편리하다.
   질서 있게 나누고 모음.

5. 필요한 책을 찾기 위해 도서관에서 컴퓨터로 (　　　)을 했다.
   책이나 컴퓨터에서, 필요한 자료들을 찾아내는 일

3 꾸며 주는 말 분명히

'분명히'는 '모양이나 소리 따위가 똑똑하고 뚜렷하게'라는 뜻의 낱말이에요. 이런 낱말들은 뒤에 오는 말을 꾸며 주어 그 뜻을 자세하게 해 준답니다.

분명히 이 소리는 아빠의 전화벨 소리이다.

꾸며 줌.

빈칸에 알맞은 낱말을 [보기]에서 찾아 써 보세요.

보기

너무 널리 여느 분명히 열심히

1. 이상한 소문이 학교에 (　　　　) 퍼졌다.
   범위가 넓게

2. 올 봄은 (　　　　) 봄보다 따뜻한 것 같다.
   특별하지 않은 그 밖의

3. 우리 집에서 삼촌 댁까지는 걸어가기에 (　　　　) 멀다.
   일정한 정도를 훨씬 넘어선 상태로

4. 키를 조금 더 키우기 위해 밤마다 (　　　　) 줄넘기를 했다.
   어떤 일에 온 정성을 다하여 골똘하게

5. 저기 앞에 가는 사람은 옷차림으로 보아 (　　　　) 우리 누나이다.
   어떤 사실이 틀림이 없이 확실하게

4 줄여 쓰는 말 뒀다

모음과 모음이 만나면 하나의 모음으로 줄어들기도 해요. '두었다'는 'ㅜ'와 'ㅓ'가 'ㅝ'로 줄어서 '뒀다'로도 쓰여요.

'ㅜ'가 'ㅓ'를 만나 'ㅝ'가 됨.

두었다 → 뒀다

13일 월 일

밑줄 친 낱말의 알맞은 준말을 찾아 ○표 하세요.

1. 이 종이를 두 장씩 나누어 갖자. → 나눠 / 나너
2. 엄마가 저녁으로 호박죽을 쑤었다. → 쒔다 / 썼다
3. 안 쓰는 이불을 장롱에 넣어 두었다. → 덨다 / 뒀다
4. 아빠와 함께 할아버지를 찾아뵈었다. → 찾아뵀다 / 찾아뱄다
5. 어제 친구와 새로 나온 영화를 보았다. → 밨다 / 봤다
6. 더이상 쓰지 않는 학용품을 동생에게 주었다. → 졌다 / 줬다

5 뜻을 더하는 말 맨–

'맨–'은 '다른 것이 없는'이라는 뜻을 더하는 말이에요.

뒷말에 뜻을 더함.
맨 + 밥 → 맨밥
반찬이 없는 밥

뒷말에 뜻을 더함.
맨 + 입 → 맨입
아무것도 먹지 않은 입

주어진 뜻에 알맞은 낱말을 써 보세요.

1. 살이 드러난 다리

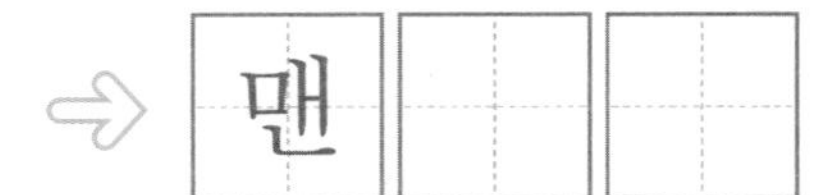

2. 아무것도 신지 아니한 발

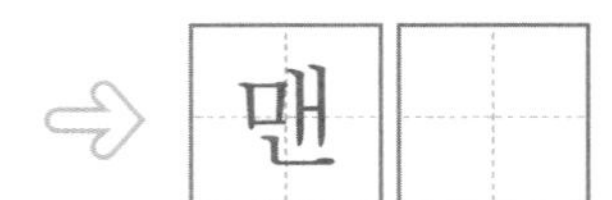

3. 아무것도 끼지 아니한 손

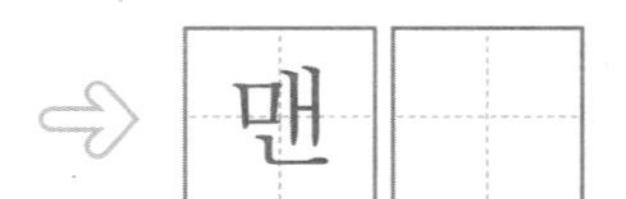

4. 아무것도 깔지 아니한 땅바닥

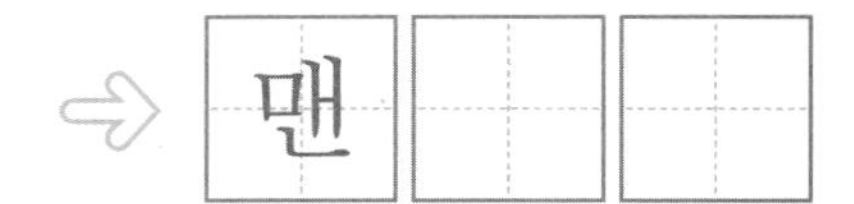

5. 아무것도 가지지 아니한 빈주먹

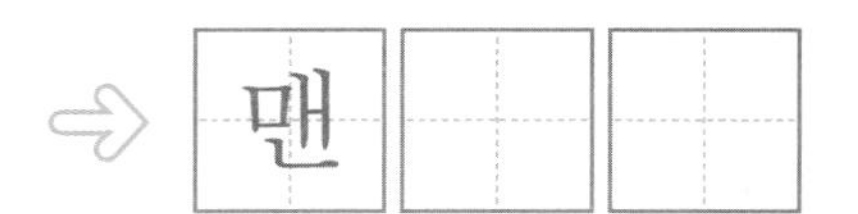

6. 안경이나 망원경 따위를 이용하지 아니하고 직접 보는 눈

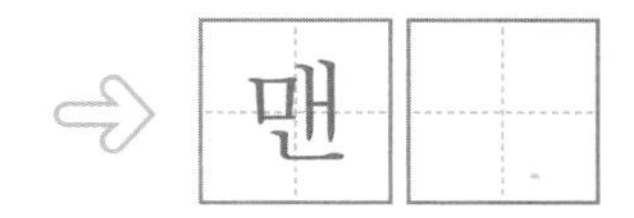

6 형태가 변하는 말 담그다

'김치 · 젓갈 따위를 만드는 재료를 버무려, 익거나 삭도록 그릇에 넣어 두다.'의 뜻을 지닌 '담그다'는 '담가, 담가서'로 형태가 변해요. '담궈, 담궈서'로 잘못 쓰지 않도록 주의해야 해요.

김치를 **담가** 먹는다.
담궈(×)

✏ **낱말의 형태를 알맞게 바꾼 것을 찾아 ○표 하세요.**

담그다 김치 · 젓갈 따위를 만드는 재료를 버무려, 익거나 삭도록 그릇에 넣어 두다.

1. 겨울에 (담근 / 담군) 매실청을 물에 타 마셨다.

2. 이 된장은 할머니가 직접 (담가 / 담궈) 주신 것이다.

3. 엄마께서 겨울 내내 먹을 김치를 (담갔다 / 담궜다).

잠그다 문 따위를 열지 못하도록 자물쇠나 고리로 채우다.

4. 대문을 잘 (잠갔는지 / 잠궜는지) 확인을 해 봐.

5. 나는 자물쇠로 책상 서랍을 (잠가 / 잠궈) 두었다.

6. 운동장에 나갈 때는 교실 문을 (잠가라 / 잠궈라).

7 뜻이 반대인 말 편리하다/불편하다

'편리하다'와 '불편하다'는 서로 반대되는 뜻을 가지고 있어요. '편리하다'가 '어떤 것을 이용하기 편하다.'라는 뜻이라면, '불편하다'는 '편리하지 않다.'라는 뜻으로 쓰이지요.

교통이 편리하다. ↔ 교통이 불편하다.
이용하기 편하다. / 편리하지 않다.

밑줄 친 낱말과 뜻이 반대인 낱말을 찾아 연결하세요.

❶ 걸음이 빠르다.	지다
❷ 시계를 고치다.	느리다
❸ 교실이 깨끗하다.	불편하다
❹ 경기에서 이기다.	더럽다
❺ 방 안이 밝아지다.	어두워지다
❻ 나는 버스가 편리하다.	망가뜨리다

8 포함하는 말 악기

악기는 연주 형태에 따라 타악기, 관악기, 현악기 따위로 나눌 수 있어요.

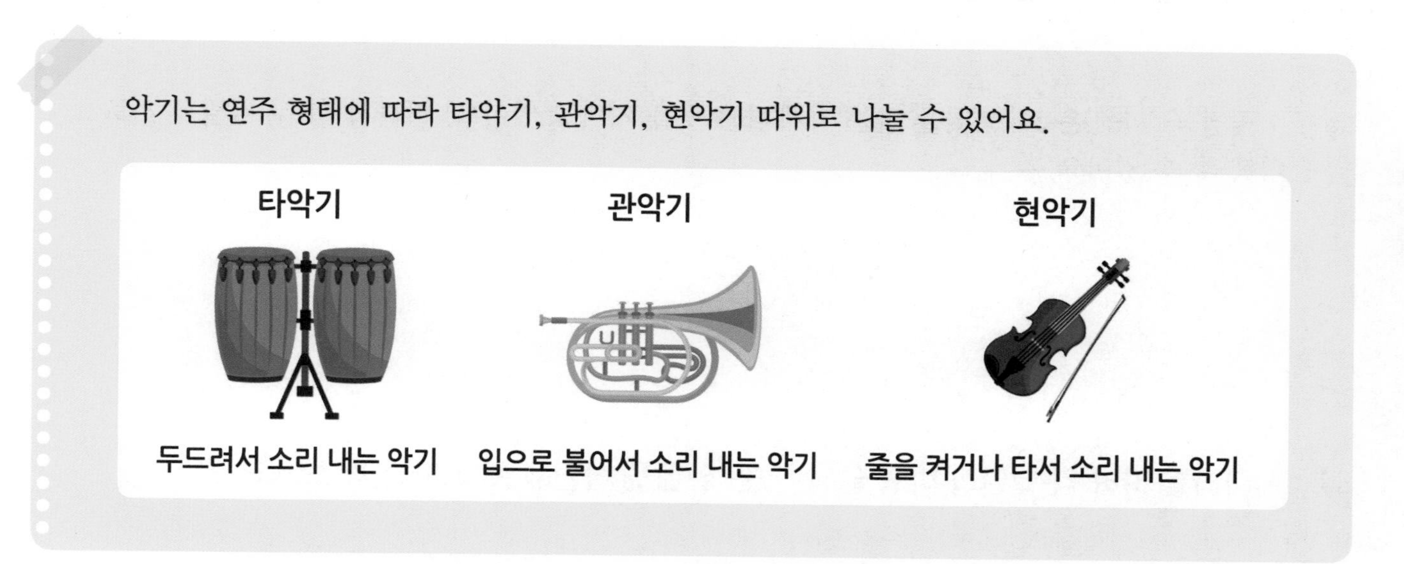

14일 월 일

빈칸에 알맞은 낱말을 [보기]에서 찾아 써 보세요.

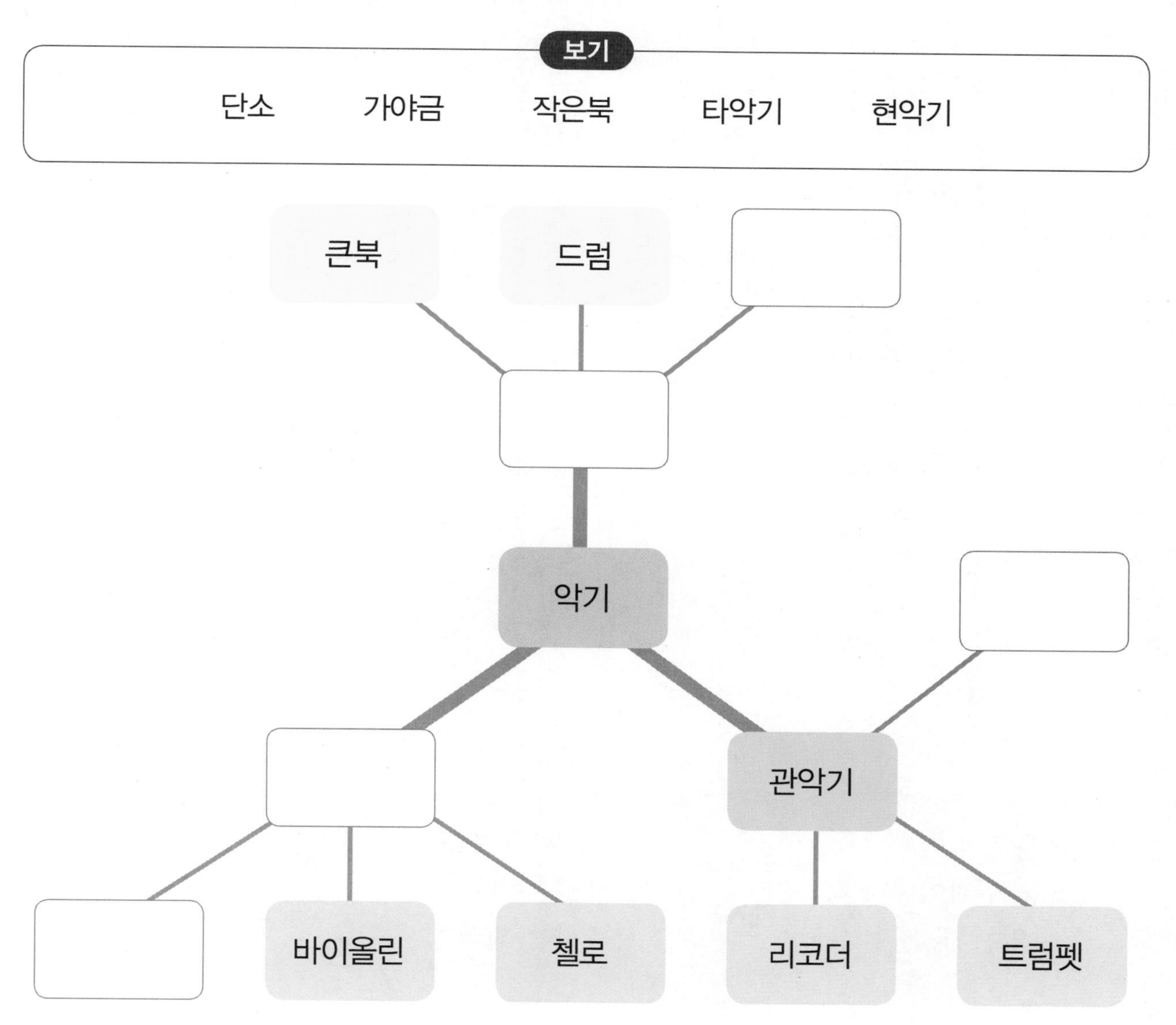

9 바꿔 쓸 수 있는 말 꽃집

'꽃집'과 '화원'은 모두 '꽃을 파는 가게'라는 뜻을 지니고 있어요. 따라서 이 두 낱말은 서로 바꿔 쓸 수 있어요.

[꽃집 / 화원]에서 꽃다발을 샀다.
바꿔 쓸 수 있음.

사다리를 따라 각 낱말과 바꿔 쓸 수 있는 낱말을 확인해 보고 따라 써 보세요.

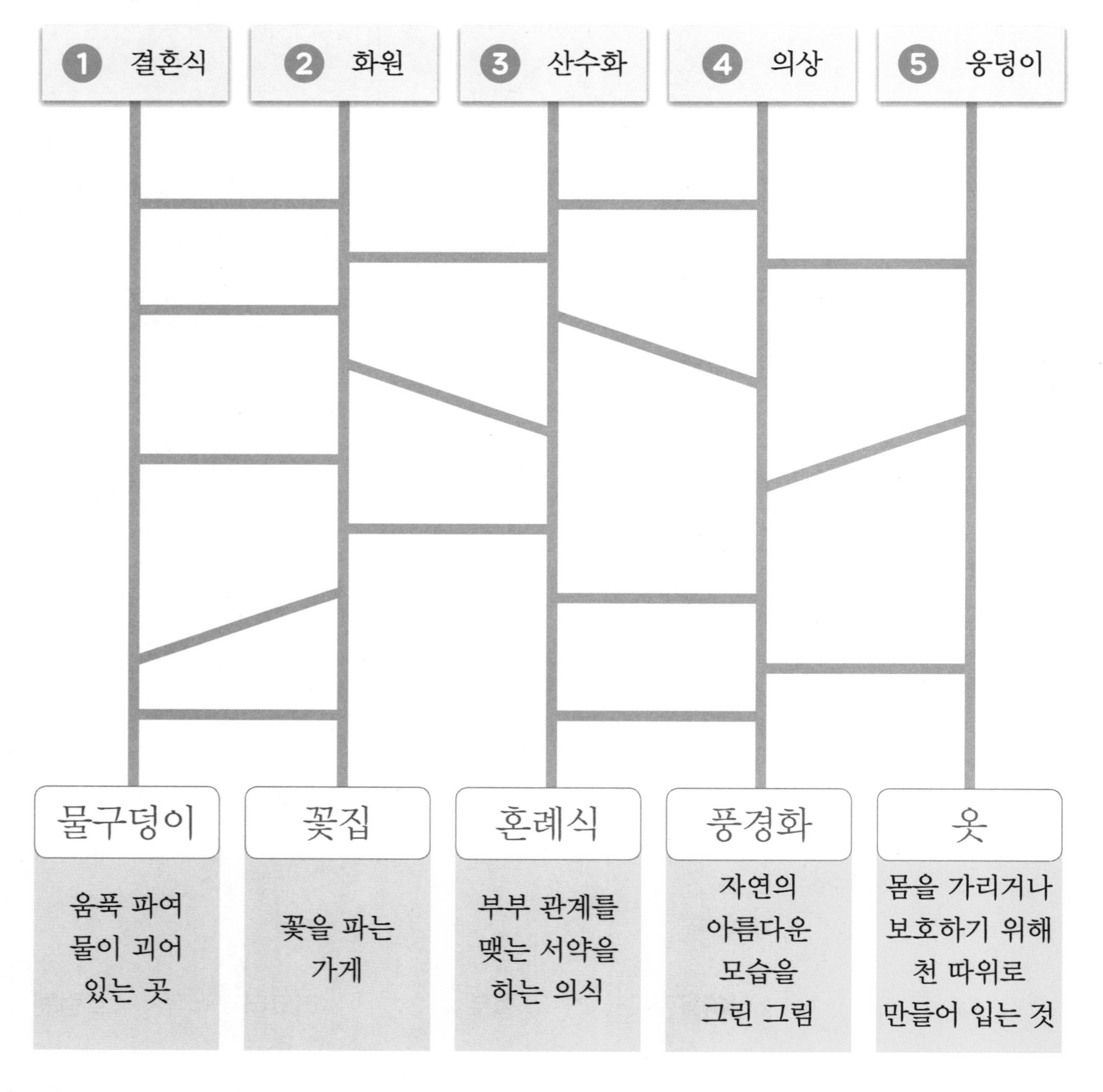

10 올바른 발음 넓지[널찌], 밟다[밥:따]

'넓지, 얇게, 여덟, 엷고, 짧고' 등의 겹받침 'ㄼ'은 [ㄹ]로 소리 내야 해요. 예외로 '밟다, 밟고'의 'ㄼ'은 [ㅂ]으로 소리 내야 해요. '넓지'는 [널찌], '밟다'는 [밥:따]가 올바른 발음이지요.

자음 앞에서	자음 앞에서
넓지 → [널찌]	밟다 → [밥:따]
겹받침 'ㄼ'이 'ㄹ'로 소리 남.	겹받침 'ㄼ'이 'ㅂ'으로 소리 남.

밑줄 친 낱말의 알맞은 발음을 찾아 ○표 하세요.

1. 내 동생은 이제 여덟 살이다. → [여덜] [여덥]

2. 실수로 옆 사람의 발을 밟다. → [발:따] [밥:따]

3. 교실은 좁지만 운동장은 넓다. → [널따] [넙따]

4. 옷을 엷게 입어서 너무 추웠다. → [열:께] [엽:께]

5. 밀가루 반죽을 얇게 밀어야 한다. → [얄:께] [얍:께]

6. 새로 페인트칠한 곳을 밟고 말았다. → [발:꼬] [밥:꼬]

7. 이 바지는 언니에게는 짧고 나에게는 길다. → [짤꼬] [짭꼬]

11 타교과 어휘 사회

빈칸에 알맞은 낱말을 찾아 ○표 하고, 바르게 써 보세요.

1. 이 행사의 [   ]를 찾아보았다. → 유래 / 모래
   사물이나 일이 생겨남. 또는 그 사물이나 일이 생겨난 바

2. [   ]에 얼음을 저장해 두었다. → 빙고 / 금고
   얼음을 넣어 두는 창고

3. 할머니는 항상 [   ]을 그리워하신다. → 고양 / 고향
   자기가 태어나서 자란 곳

4. 나는 [   ]을 표시한 지도를 살펴보았다. → 이명 / 지명
   마을이나 지방, 지역 등의 이름

5. 이 탑은 우리나라 [   ]로 지정되어 있다. → 국보 / 국사
   나라에서 법으로 정해 보호하는 문화재

6. 세종 대왕의 [   ] 중 하나는 한글을 만든 것이다. → 업적 / 고생
   어떤 사업이나 연구 따위에서 노력하여 세운 일의 결과

빈칸에 알맞은 낱말을 [보기]에서 찾아 써 보세요.

보기

답사 면담 석탑 표지석 마당놀이 문화유산

15일 월 일

❶ 주말에 가족들과 [ ]를 보러 갔다.
마당에서 하는 민속놀이

❷ [ ]을 가까이에서 보니 더욱 멋있었다.
돌로 쌓은 탑

❸ 경주로 [ ]를 다녀와서 보고서를 작성했다.
현장에 가서 직접 보고 조사함.

❹ 우리의 [ ]에는 조상들의 숨결이 담겨 있다.
문화재 중에서 다음 세대에게 전해줄 만한 가치가 있는 것

❺ 문화재에 대해 잘 알고 계신 분께 [ ]을 요청했다.
서로 만나서 이야기 함.

❻ 나는 [ ]을 통해 이곳이 무엇을 하는 곳인지 알 수 있었다.
어떤 사물을 다른 것과 구별하기 위하여 그 앞에 세운 돌

어휘력을 높이는 확인 학습

다음 빈칸에 낱말을 넣어 문장을 완성하세요.

대강

기본적인 부분만을 따 낸 줄거리

예 친구에게 사건의 ☐☐만을 전해 들었다.

여느

특별하지 않은 그 밖의

예 민철이는 ☐☐ 또래보다 키가 훨씬 크다.

맨눈

안경이나 망원경 따위를 이용하지 아니하고 직접 보는 눈

예 벼룩은 ☐☐으로 보기에는 너무 작다.

잠그다

문 따위를 열지 못하도록 자물쇠나 고리로 채우다.

예 외출을 할 때에는 문을 잘 ☐☐고 나가라.

맨바닥

아무것도 깔지 아니한 땅바닥

예 그는 ☐☐☐에 돗자리를 깔고 물건을 팔았다.

보존

잘 보호하고 지키어 남김.

예 박물관에 있는 이 그림은 ☐☐이 잘 되어 있었다.

요점

가장 중요하고 중심이 되는 사실

예 과학 선생님은 ☐☐만 정리하여 쉽게 설명해 주셨다.

메모

자신이 기억한 것을 잊지 않으려고 짧게 쓴 글

예 내일 챙겨갈 준비물을 잊지 않으려고 ☐☐를 해 두었다.

지명

마을이나 지방, 지역 등의 이름

예 부산의 옛 □□은 동래이다.

국보

나라에서 법으로 정해 보호하는 문화재

예 우리나라의 □□ 1호는 숭례문이다.

타악기

두드려서 소리를 내는 악기

예 □□□를 두드리면 흥이 절로 난다.

현악기

줄을 켜거나 타서 소리를 내는 악기

예 가야금은 우리나라의 전통 □□□이다.

혼례식

부부 관계를 맺는 서약을 하는 의식

예 옛날에는 □□□을 집마당에서 치렀다.

업적

어떤 사업이나 연구 따위에서 노력하여 세운 일의 결과

예 그 과학자는 우수한 □□을 많이 남겼다.

웅덩이

움푹 파여 물이 괴어 있는 곳

예 비가 많이 내려 운동장 곳곳에 □□□가 생겼다.

문화유산

문화재 중에서 다음 세대에게 전해줄 만한 가치가 있는 것

예 후손들은 조상들이 남긴 □□□□을 잘 지켜야 한다.

6장 일이 일어난 까닭

국어 교과서 168~185쪽

1 원인과 결과

일상생활에서 일어나는 일이나 사건에는 '원인'과 '결과'가 있어요. 어떤 일에 대해 원인과 결과를 생각하며 말하거나 들으면 좀 더 분명하고 쉽게 표현하고 이해할 수 있어요.

길에서 넘어져서 다리를 다쳤다.
(길에서 넘어져서: 원인 / 다리를 다쳤다: 결과)

주어진 낱말에 알맞은 뜻을 찾아 연결하세요.

1. 원인 •　　　　• 어떤 일 때문에 생겨난 상태
2. 결과 •　　　　• 자신이 실제로 해 보거나 겪어 봄.
3. 차례 •　　　　• 순서 있게 구분하여 벌여 나가는 관계
4. 경험 •　　　　• 어떤 사물이나 상태를 일으키게 하는 일
5. 이야기 •　　　　• 어떤 사물이나 사실에 대하여 일정한 줄거리를 가지고 하는 말과 글

2 이어 주는 말 그래서

'이어 주는 말'은 문장과 문장을 나란히 이어서 쓸 때 각각의 내용이 자연스럽게 이어질 수 있도록 해 주는 말이에요. 두 문장이 어떻게 이어지느냐에 따라 이어 주는 말을 달리 써야 해요.

나는 아이스크림을 많이 먹었다. **그래서** 배탈이 났다.
배탈이 난 원인 / 아이스크림을 많이 먹은 결과

16일 월 일

빈칸에 알맞은 낱말을 [보기]에서 찾아 써 보세요.

보기

그리고 하지만 왜냐하면

1. 나는 배탈이 났다. (   ) 밥을 많이 먹었기 때문이다.
왜 그러냐 하면

2. 나는 늦잠을 잤다. (   ) 학교에 지각을 하지 않았다.
내용이 서로 반대인 두 개의 문장을 이어 줄 때 쓰는 말

3. 수지는 노래를 잘 부른다. (   ) 수지는 춤도 잘 춘다.
앞의 내용에 이어 뒤의 내용을 단순히 나열할 때 쓰는 말

비슷한 뜻을 가진 낱말끼리 나눠 써 보세요.

고로 그러나 따라서 그러므로 그렇지만

그래서	하지만

3 가리키는 말 이, 그, 저

'이, 그, 저'는 무엇인가를 가리킬 때 쓰는 말이에요. 누구에게 가까운 것을 가리키느냐에 따라 가리키는 말이 달라져요.

이 책은 내 책이다. 말하는 이와 가까울 때	**그** 책은 은지의 책이다. 듣는 이에게 가까울 때	**저** 책은 누구의 것이니? 말하는 이와 듣는 이로부터 멀 때

다음 빈칸에 '이', '그', '저' 중에서 알맞은 낱말을 써 보세요.

1. → ☐ 책 재미있니?

2. → ☐ 사과가 정말 맛있다.

3. 

→ ☐ 학교가 내가 다니는 학교야.

4 성질을 바꾸는 말 –ㅁ, –음

낱말의 뒷부분에 '–음'이나, '–ㅁ'이 덧붙으면 움직임이나 상태를 나타내는 말이 이름을 나타내는 말로 성질이 바뀌어요.

웃다 + -음 → 웃음
'–음'을 만나 덧붙음.

기쁘다 + -ㅁ → 기쁨
'–ㅁ'을 만나 덧붙음.

다음 낱말을 이름을 나타내는 말로 바꾸려고 해요. 빈칸을 채워 낱말을 완성하세요.

1. 웃 + 다 → 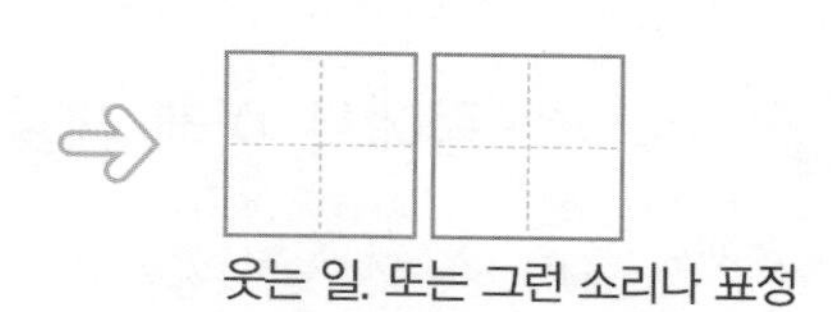
기쁘거나 우스울 때 얼굴을 활짝 펴거나 소리를 내다.
웃는 일. 또는 그런 소리나 표정

2. 울 + 다 → 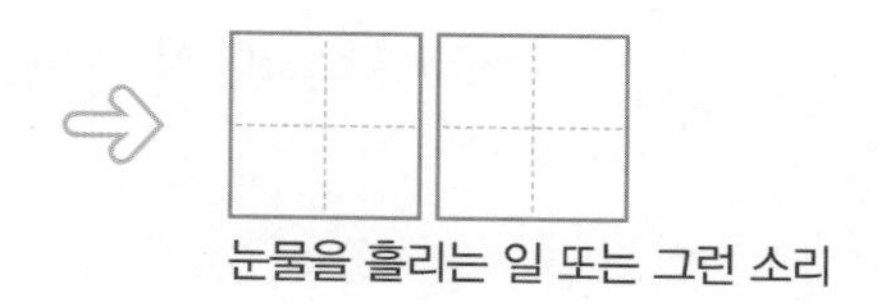
눈물을 흘리다.
눈물을 흘리는 일 또는 그런 소리

3. 졸 + 다 → ☐☐
저절로 잠이 들다.
잠이 오는 느낌이나 상태

4. 얼 + 다 → ☐☐
물기가 있는 물체가 차갑게 굳어지다.
물이 얼어서 굳어진 물질

5. 슬프 + 다 → ☐☐
마음이 아프고 괴롭다.
마음이 아프고 괴로운 느낌

6. 기쁘 + 다 → ☐☐
마음이 즐겁고 만족하다.
만족한 마음이나 느낌

S 속담 아니 땐 굴뚝에 연기 날까.

'속담'은 예로부터 전해지는 조상들의 지혜가 담긴 표현으로, 속담을 사용하면 말하고자 하는 바를 효과적으로 전달할 수 있어요.

- **아니 땐 굴뚝에 연기 날까.**
  원인이 없으면 결과가 있을 수 없음을 빗댄 속담
- **콩 심은 데 콩 나고 팥 심은 데 팥 난다.**
  원인에 따라 그에 걸맞은 결과가 생긴다는 것을 빗댄 속담

㉠~㉤ 중에서, 아래 색깔 박스에 주어진 속담과 뜻이 비슷한 것을 찾아 그 기호를 써 보세요.

㉠ 아니 때린 장구 북소리 날까.

㉡ 오이 덩굴에 오이 열리고 가지 나무에 가지 열린다.

㉢ 배나무에 배 열리지 감 안 열린다.

㉣ 오이씨에서 오이 나오고 콩에서 콩 나온다.

㉤ 뿌리 없는 나무에 잎이 필까.

아니 땐 굴뚝에 연기 날까.	콩 심은 데 콩 나고 팥 심은 데 팥 난다.

6 뜻을 더하는 말 –질

'–질'은 '그 도구를 가지고 하는 일', '신체 부위를 이용한 어떤 행동' 따위의 뜻을 더하는 말이에요.

가위 + 질 → 가위질
앞말에 뜻을 더함.

곁눈 + 질 → 곁눈질
앞말에 뜻을 더함.

17일

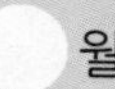
월

일

주어진 뜻에 알맞은 낱말을 써 보세요.

1. 곁눈으로 보는 일
얼굴은 돌리지 않고 눈알만 옆으로 굴려서 보는 눈

→ 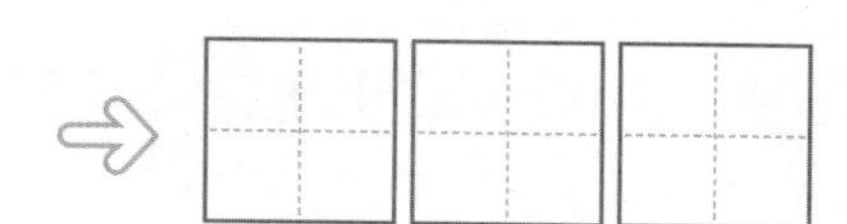

2. 손가락으로 가리키는 일

→ 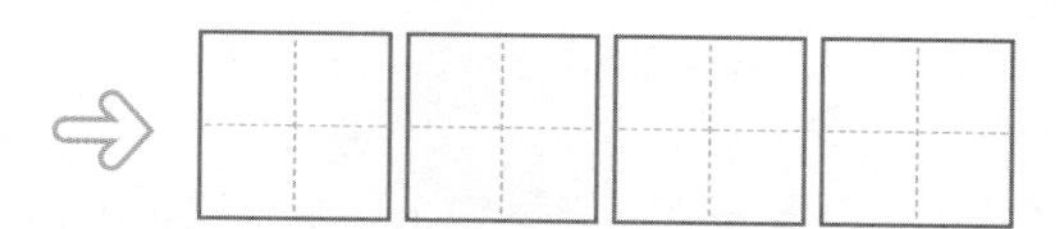

3. 가위로 자르거나 오리는 일

→ 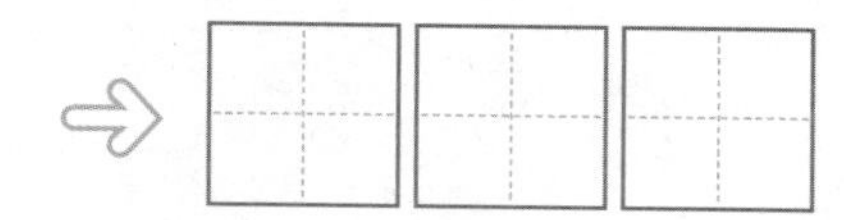

4. 이를 닦고 물로 입 안을 가시는 일

→ 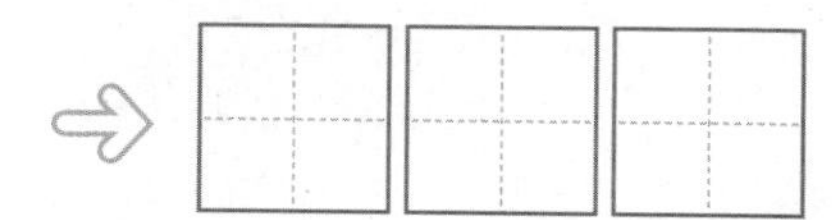

5. 망치로 무엇을 두드리거나 박는 일

→ 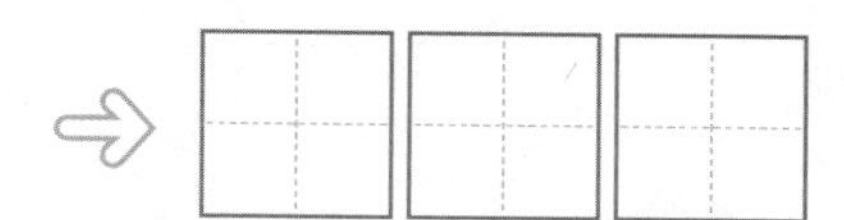

6. 더러움이나 때를 걸레로 닦거나 훔치는 일

→ 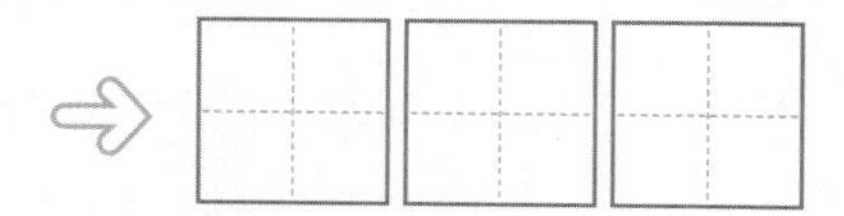

7 형태가 변하는 말 벗다, 잇다

'움직임을 나타내는 말'이나 '성질이나 상태를 나타내는 말'이 문장에서 모양이 바뀔 때, 그 낱말에 따라 모양이 불규칙하게 바뀌는 경우가 있어요.

주어진 낱말의 모양을 알맞게 바꾼 것을 찾아 ○표 하세요.

1. 젓다 — 민수는 팔을 힘차게 (저으며 / 젓으며) 씩씩하게 걸었다.

2. 붓다 — 찌개가 너무 짜니 물을 더 (부어서 / 붓어서) 끓여야겠다.

3. 씻다 — 나는 컵을 깨끗하게 (씻어 / 씨서) 선반 위에 올려놓았다.

4. 웃다 — 오빠는 텔레비전을 보면서 깔깔거리며 (웃어 / 우서) 댔다.

5. 낫다 — 이제 감기가 다 (나아서 / 낫아서) 약을 먹지 않아도 된다.

더 알아두기

'벗다'는 'ㅅ'이 유지되면서 '벗어', '벗으니'처럼 규칙적으로 모양이 바뀌지만, '잇다'는 'ㅅ'이 탈락하여 '이어', '이으니'처럼 다른 모양으로 바뀌는 경우가 있어요.

8 합쳐진 말 겨울밤

'겨울날의 긴 밤'을 뜻하는 낱말 '겨울밤'은 '겨울'과 '밤'이라는 두 낱말이 합쳐져서 만들어진 말이에요.

겨울 + 밤 → 겨울밤
낱말과 낱말이 만나 새로운 낱말이 됨.

글자 카드를 왼쪽에서 하나, 오른쪽에서 하나씩 꺼내 빈칸에 알맞은 낱말을 써 보세요.

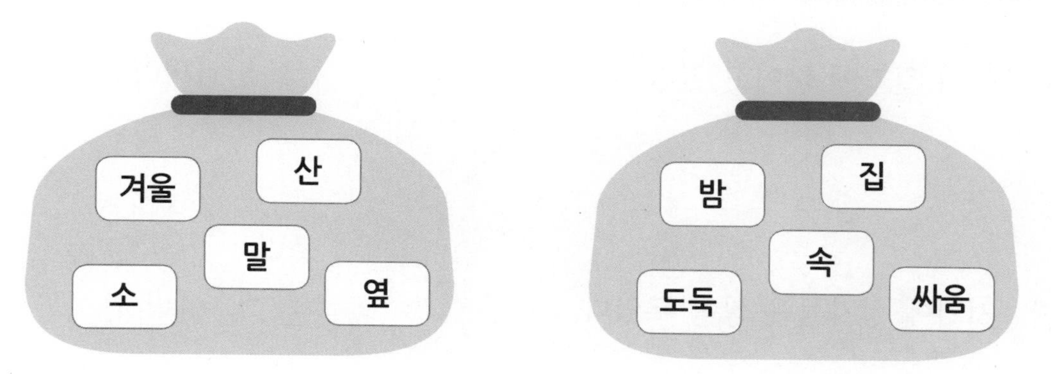

1. 바늘 도둑이 ☐☐☐ 된다.
   소를 훔치는 짓. 또는 그런 짓을 한 도둑

2. 그는 사람들을 피해 ☐☐ 으로 들어갔다.
   산의 속

3. ☐☐ 에 사는 친구가 음식을 들고 우리 집에 찾아왔다.
   옆에 있는 집

4. ☐☐☐ 의 추위를 견뎌 내기에는 입고 있는 옷이 얇았다.
   겨울날의 긴 밤

5. 이웃 주민들은 서로 잘잘못을 따지면서 ☐☐☐ 을 시작했다.
   말로 옳고 그름을 가리는 다툼

9 올바른 발음 쌓아[싸아]

받침 'ㅎ'이 발음이 되지 않는 경우가 있어요. '쌓다'가 '쌓아'로 바뀔 때 [싸아], '놓다'가 '놓아서'로 바뀔 때 [노아서]로 발음이 돼요.

장작을 **쌓아[싸아]** 놓다.
'ㅎ'이 발음 안 됨.

밑줄 친 낱말의 알맞은 발음을 찾아 ○표 하세요.

1. 눈이 길가에 쌓이고 있다. → [싸이고] [싸히고]

2. 저기에 상자들을 쌓아 두었다. → [싸하] [싸아]

3. 편지들은 서랍에 넣어서 보관했다. → [너어서] [너허서]

4. 기분이 좋아서 웃음이 절로 나온다. → [조하서] [조아서]

5. 잡은 물고기를 다시 강물에 놓아 주었다. → [노하] [노아]

6. 아이에게 주사를 놓으려고 하자 아이는 엉엉 울기 시작했다. → [노으려고] [노흐려고]

10 줄여 쓰는 말 얘, 쟤, 걔

준말은 본래의 말보다 간략하게 줄어든 말이에요. '얘'는 '이 애', '쟤'는 '저 애', '걔'는 '그 애'의 준말이지요.

이 애가 우리 대장이다.
= 얘

저 애가 그랬니?
= 쟤

그 애는 우리보다 용감하다.
= 걔

18일 월 일

문장에 알맞은 낱말을 찾아 ○표 하세요.

1. (애 / 얘)가 제 짝꿍이에요.

2. (개 / 걔)랑은 옆집에 살았어요.

3. (재 / 쟤)는 잘 모르는 아이예요.

다음 밑줄 친 말의 준말을 바르게 써 보세요.

1. 저 애는 이름이 뭐니? → [ ]

2. 저는 그 애를 잘 몰라요. → [ ]

3. 이 애가 저와 제일 친한 친구예요. → [ ]

11 타교과 어휘 과학

밑줄 친 낱말에 알맞은 뜻을 찾아 연결하세요.

	문장		뜻
1	잠자리가 짝짓기를 한다.		사물이나 현상이 가지고 있는 고유한 특성
2	뱀이 한 꺼풀 허물을 벗는다.		파충류, 곤충류 따위가 자라면서 벗는 껍질
3	병아리 부화 과정을 관찰했다.		암수의 생식 세포가 하나로 합쳐져 하나의 세포가 됨.
4	곤충의 탈바꿈은 정말 신기하다.		동물이 자라는 과정에서 전혀 다른 모습으로 바뀌는 것
5	플라스틱은 가벼운 성질이 있다.		동물 따위의 암수가 짝을 이루거나, 짝이 이루어지게 하는 일
6	김 박사는 인공 수정을 성공했다.		동물의 알 속에서 새끼가 껍데기를 깨고 밖으로 나옴. 또는 그렇게 되게 함.

✎ **빈칸에 알맞은 낱말을 [보기]에서 찾아 써 보세요.**

보기

멸종 생태 나침반 사육사 서식지 한살이

1. 반달곰은 숲의 파괴로 [ ] 위기에 내몰렸다.
   생물의 한 종류가 아주 없어짐.

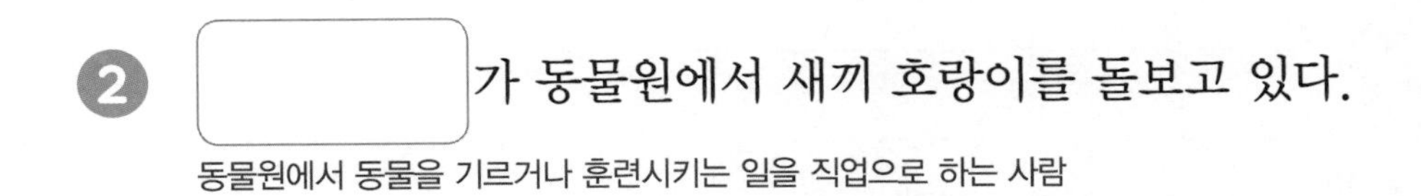

2. [ ] 가 동물원에서 새끼 호랑이를 돌보고 있다.
   동물원에서 동물을 기르거나 훈련시키는 일을 직업으로 하는 사람

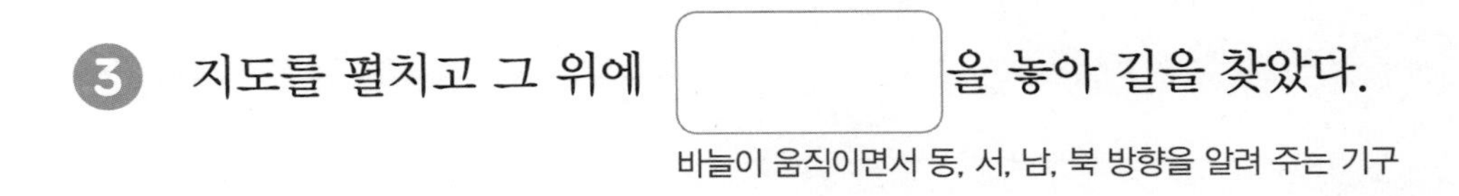

3. 지도를 펼치고 그 위에 [ ] 을 놓아 길을 찾았다.
   바늘이 움직이면서 동, 서, 남, 북 방향을 알려 주는 기구

4. 환경 오염이 동식물의 [ ] 에 미치는 영향이 크다.
   생물이 살아가는 모양이나 상태

5. 두루미의 [ ] 를 보호하기 위해 감시반이 만들어졌다.
   생물 따위가 일정한 곳에 자리를 잡고 사는 곳

6. 배추흰나비 알을 기르면서 동물의 [ ] 를 관찰해 보았다.
   곤충이나 동물의 일생

어휘력을 높이는 확인 학습

다음 빈칸에 글자를 넣어 낱말을 완성하세요.

낱말	뜻
1 □속	산의 속
2 □눈□	곁눈으로 보는 일
3 □가락□	손가락으로 가리키는 일
4 □과	어떤 일 때문에 생겨난 상태
5 경□	자신이 실제로 해 보거나 겪어 봄.
6 □치□	망치로 무엇을 두드리거나 박는 일
7 차□	순서 있게 구분하여 벌여 나가는 관계
8 원□	어떤 사물이나 상태를 일으키게 하는 일
9 하□만	내용이 서로 반대인 두 개의 문장을 이어 줄 때 쓰는 말
10 이□기	어떤 사물이나 사실에 대하여 일정한 줄거리를 가지고 하는 말과 글

정답 1. 산 2. 곁, 질 3. 손, 질 4. 결 5. 험 6. 망, 질 7. 례 8. 인 9. 지 10. 야

11 □집	옆에 있는 집
12 □	'이 애'의 준말
13 □살□	곤충이나 동물의 일생
14 □싸□	말로 옳고 그름을 가리는 다툼
15 □종	생물의 한 종류가 아주 없어짐.
16 □도□	소를 훔치는 짓. 또는 그런 짓을 한 도둑
17 서□지	생물 따위가 일정한 곳에 자리를 잡고 사는 곳
18 탈□꿈	동물이 자라는 과정에서 전혀 다른 모습으로 바뀌는 것
19 사□사	동물원에서 동물을 기르거나 훈련시키는 일을 직업으로 하는 사람
20 부□	동물의 알 속에서 새끼가 껍데기를 깨고 밖으로 나옴. 또는 그렇게 되게 함.

정답 11. 옆 12. 얘 13. 한, 이 14. 말, 움 15. 멸 16. 소, 둑 17. 식 18. 바 19. 육 20. 화

7장 반갑다, 국어사전

국어 교과서 186~211쪽

1 국어사전

'국어사전'은 우리말의 낱말들을 모아 낱말들의 발음, 뜻, 쓰임 따위를 풀어서 설명한 책이에요. 낱말을 정확히 익히고 싶다면 국어사전에서 찾아보는 것이 좋아요.

주어진 뜻에 알맞은 낱말을 [보기]에서 찾아 써 보세요.

보기

기호　　약호　　기본형　　맞춤법　　국어사전

1. 간단하고 알기 쉽게 나타낸 부호 → (　　　)

2. 어떤 뜻을 나타내기 위한 문자나 부호 → (　　　)

3. 문자를 적을 때 바르게 쓰기 위해 정한 규칙 → (　　　)

4. 형태가 바뀌는 낱말에서 기본이 되는 형태 → (　　　)

5. 우리말의 낱말들을 모아 낱말들의 발음, 뜻, 쓰임 따위를 풀어서 설명한 책 → (　　　)

2 사전 찾기 1

국어사전에서 낱말을 찾을 때에는 먼저 낱말을 이루는 글자의 짜임을 살펴봐야 해요. 짜임대로 글자를 나누어 보고 글자의 첫소리, 가운뎃소리, 끝소리의 순서로 사전에서 낱말을 찾으면 돼요.

찾는 순서 ① ② ③ ④ ⑤ ⑥
낱말 = ㄴ + ㅏ + ㅌ / ㅁ + ㅏ + ㄹ

19일 월 일

다음은 주어진 글자의 짜임을 나타낸 것입니다. 빈칸에 알맞은 낱자를 써 보세요.

1 
한글

□ → □ → ㄴ →
□ → ㅡ → □

2 
옷장

ㅇ → □ → □ →
□ → □ → □

3 
책가방

ㅊ → □ → □ →

□ → □ → □ →
□ → □

3 사전 찾기 2

'첫 자음자', '모음자', '받침'이 사전에 실리는 순서예요. 다음 순서에 따라 낱말을 찾으면 돼요.

구분	순서 →													
첫 자음자	ㄱ	ㄲ	ㄴ	ㄷ	ㄸ	ㄹ	ㅁ	ㅂ	ㅃ	ㅅ	ㅆ	ㅇ	ㅈ	ㅉ
	ㅊ	ㅋ	ㅌ	ㅍ	ㅎ									
모음자	ㅏ	ㅐ	ㅑ	ㅒ	ㅓ	ㅔ	ㅕ	ㅖ	ㅗ	ㅘ	ㅙ	ㅚ	ㅛ	ㅜ
	ㅝ	ㅞ	ㅟ	ㅠ	ㅡ	ㅢ	ㅣ							
받침	ㄱ	ㄲ	ㄳ	ㄴ	ㄵ	ㄶ	ㄷ	ㄹ	ㄺ	ㄻ	ㄼ	ㄽ	ㄾ	ㄿ
	ㅀ	ㅁ	ㅂ	ㅄ	ㅅ	ㅆ	ㅇ	ㅈ	ㅊ	ㅋ	ㅌ	ㅍ	ㅎ	

주머니의 낱말들을 사전에 실린 순서대로 써 보세요.

1.
돼지 사슴 토끼
말 염소

2.
숨다 밟다 읊다
밝다 맑다

3.
원인 연기 의지
얘기 오기

4 주제별 어휘 말

국어사전에는 낱말에 대한 많은 정보가 들어 있어요. 그 중에는 '본말, 준말, 비슷한말, 반대말, 높임말, 낮춤말' 등의 정보도 포함되어 있지요.

빈칸에 알맞은 낱말을 [보기]에서 찾아 써 보세요.

보기

본말 준말 낮춤말 높임말 반대말 비슷한말

1. '나'는 '저'의 [ ] 이다.
   사람이나 사물을 낮추어 이르는 말

2. '여자'의 [ ] 은 '남자'이다.
   뜻이 서로 정반대의 관계에 있는 말

3. '뺏다'의 [ ] 은 '빼앗다'이다.
   줄지 않은 원래의 말

4. '요즘'은 '요즈음'의 [ ] 이다.
   낱말의 일부분이 줄어든 말

5. 웃어른에게는 [ ] 을 써야 한다.
   사람이나 사물을 높여서 이르는 말

6. 낱말이 어려울 땐 [ ] 로 바꿔 보면 이해할 수 있다.
   뜻이 서로 비슷한 말

5 헷갈리기 쉬운 말 1 발견/발명

'발견'은 '이미 있었던 사실을 모르고 있다가 찾아낸 것'을 뜻하는 말이고 '발명'은 '전에는 없었던 물건을 새롭게 만들어 낸 것'을 뜻하는 말이에요.

신대륙을 **발견**했다.
발명(×)

발명품을 **발명**했다.
발견(×)

빈칸에 '발견' 또는 '발명' 중 알맞은 낱말을 써서 문장을 완성해 보세요.

1. 불을 ☐☐한 것은 인류에게 가장 큰 사건이었다.

2. 콜럼버스는 오랜 항해 끝에 아메리카 대륙을 ☐☐하였다.

3. 장영실은 자동으로 시간을 알려 주는 물시계를 ☐☐하였다.

4. 보물찾기 놀이에서 누구도 숨겨 놓은 보물을 ☐☐하지 못했다.

5. 라이트 형제는 비행기를 ☐☐하기까지 수십 번의 실패를 거듭했다.

6. 에디슨을 일상생활에서 누구나 쉽게 사용할 수 전기용품을 ☐☐하였다.

6 헷갈리기 쉬운 말 2 걸치다/거치다

옷이나 이불 따위를 입거나 덮을 때에는 '걸치다'라고 쓰고, 오가는 도중에 어디를 지나거나 들를 때에는 '거치다'라고 써요.

옷을 **걸치다**.
거치다(×)

공원을 **거치다**.
걸치다(×)

주어진 뜻을 참고하여 다음 문장에 어울리는 낱말을 찾아 ○표 하세요.

걸치다	옷이나 이불 따위를 아무렇게나 입거나 덮다.
거치다	오가는 도중에 어디를 지나거나 들르다.

1. 몸이 추워서 담요를 (거치고 / 걸치고) 있었다.

2. 우리는 공원을 (거쳐서 / 걸쳐서) 놀이터로 갔다.

3. 언니는 매일 아침 친구 집을 (거쳐서 / 걸쳐서) 학교로 간다.

붙이다	맞닿아 떨어지지 아니하게 하다.
부치다	편지나 물건 따위를 일정한 수단이나 방법을 써서 상대에게 보내다.

4. 나는 미국에 계신 삼촌께 편지를 (부쳤다 / 붙였다).

5. 친구에게 보낼 편지 봉투에 우표를 (부쳤다 / 붙였다).

6. 나는 학용품에 내 이름을 적은 스티커를 (부쳤다 / 붙였다).

7 외래어 표기 프라이팬

외래어는 외국어 발음에 가깝게 적어서는 안 되고, 국어의 정해진 표기에 맞게 써야 해요. '부침개를 할 때 쓰는 넓적한 냄비'의 경우에, '후라이팬'이 아닌 '프라이팬'이 바른 표기예요.

프라이팬에 생선을 굽다.
후라이팬(×)

다음 문장에서 알맞은 낱말을 찾아 ○표 하세요.

1. 나는 꽃가루 (알러지 / 알레르기)가 있다.

2. 나는 (라디오 / 래디오) 방송을 즐겨 듣는다.

3. 우리 집에는 노란색 (프라이팬 / 후라이팬)이 있다.

4. 오빠는 (테레비전 / 텔레비전)을 보다가 잠이 들었다.

5. 지난 주말에 캠핑을 가서 (바비큐 / 바베큐)를 먹었다.

6. 아빠는 카메라 (렌즈 / 랜즈)가 고장이 나서 속상해 하셨다.

8 형태가 변하는 말 먹다

상황에 따라 형태가 바뀌는 말이 있어요. 바뀌는 형태를 대표하는 말을 '기본형'이라고 해요. '기본형'은 낱말의 형태가 바뀌지 않는 부분에 '-다'를 붙여서 만들어요.

밥을 **먹다.** → 밥을 **먹고** 공부를 한다.
기본형　　　　　　**먹으니** 배가 부르다.
　　　　　　　　　먹어서 기분이 좋다.

주어진 낱말들의 기본형을 써 보세요.

1. 뛰고, 뛰니, 뛰어서 → ☐

2. 먹고, 먹으니, 먹어서 → ☐

3. 본받고, 본받으니, 본받아서 → ☐

4. 뒤쫓고, 뒤쫓으니, 뒤쫓아서 → ☐

5. 낚아채고, 낚아채니, 낚아채서 → ☐

6. 솟고, 솟으니, 솟아서, 솟으므로 → ☐

9 행동을 하게 하는 말 들이다

'들다'는 '색깔, 물기 등이 스미거나 배다.'라는 뜻을 나타내고, '들이다'는 '색깔, 물기 등이 스미거나 배게 하다.'의 뜻을 나타내요. 상황에 따라 다른 낱말을 사용해야 바른 문장이 돼요.

옷에 물이 **들다**. → 옷에 물을 **들이다**.
스미거나 배다. 스미거나 배게 하다.

빈칸에 알맞은 낱말 쌍을 [보기]에서 찾아 써 보세요.

보기

들다-들이다 묻다-묻히다 쓰다-씌우다

1
- 그림을 그리다가 손에 물감이 ☐☐.
- 그림을 그리기 위해 붓에 물감을 ☐☐☐.

2
- 아이가 스스로 털모자를 머리에 ☐☐.
- 감기에 걸리지 않도록 아이에게 털모자를 ☐☐☐.

3
- 염색약이 튀어서 옷에 물이 ☐☐.
- 머리 색을 바꾸려고 염색약으로 머리에 물을 ☐☐☐.

10 줄여 쓸 수 없는 말 사귀었다

'사귀었다'는 '사겼다'로 줄여서 쓸 수 없어요. '바뀌었다'도 '바꼈다'로 줄여서 쓸 수 없지요.

두 사람은 오랜 기간 **사귀었다.**
사겼다(×)

밑줄 친 부분을 바르게 고쳐 써 보세요.

1. 운동장을 뛰다가 힘들어서 잠시 그늘에서 셨다. →

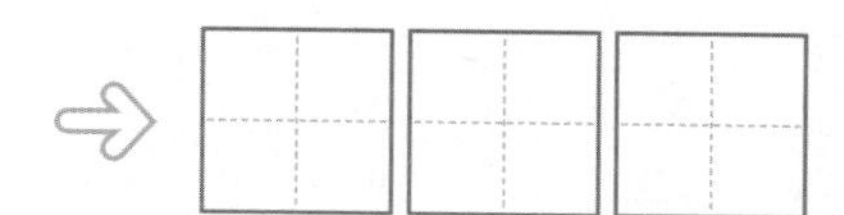

2. 나무 위의 새들이 하루종일 지저겼다. →

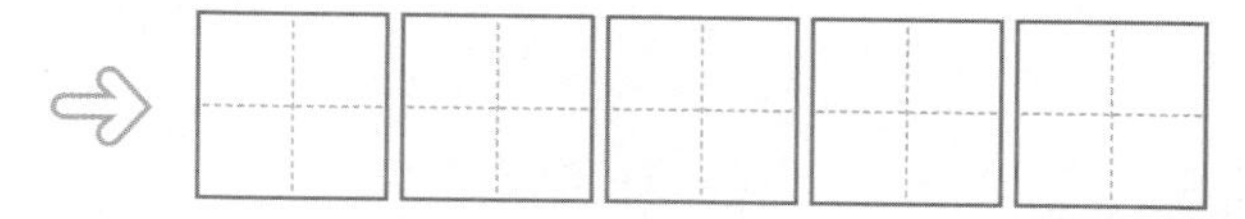

3. 나는 학교에서 좋은 친구들을 많이 사겼다. →

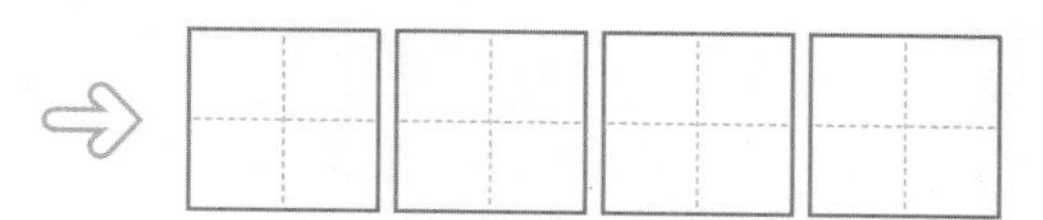

4. 가구를 새로 바꾸니 방의 분위기가 바꼈다. →

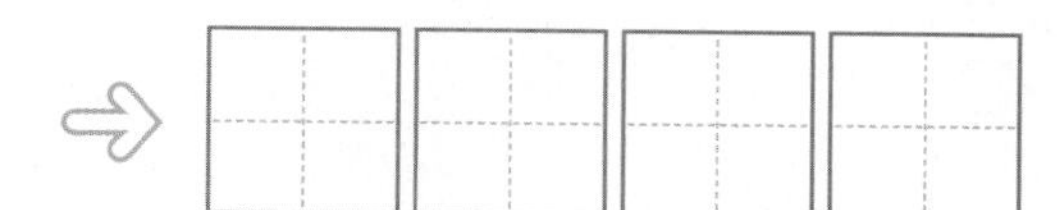

5. 형이 텔레비전을 보다가 갑자기 방귀를 꼈다. →

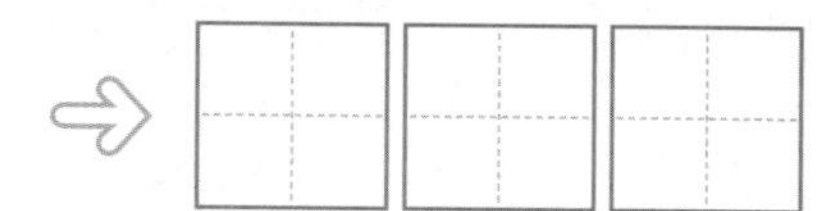

6. 우리 집 고양이가 내 손을 할켰다. →

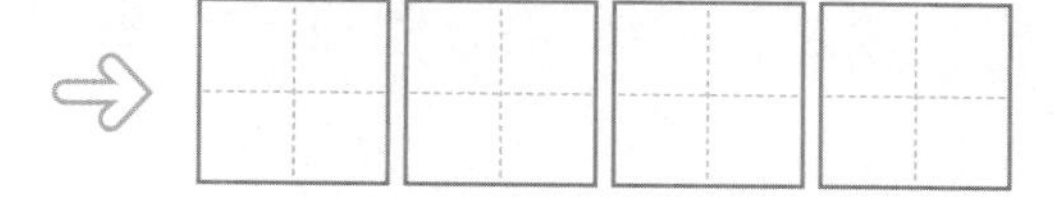

11 타교과 어휘 도덕

✎ **빈칸에 알맞은 낱말을 [보기]에서 찾아 써 보세요.**

보기					
끈기	보람	인내	핑계	최선	자신감

❶ ☐ 있게 버티면 성공할 수 있다.
그만두지 않고 계속해서 참고 견디는 성질

❷ 쉽게 포기하지 말고 ☐ 을 다해야 한다.
온 정성과 힘

❸ 봉사 활동은 힘이 들지만 ☐ 이 있다.
어떤 일을 한 뒤에 얻어지는 좋은 결과나 만족감

❹ 보충 수업을 듣고 나서 수학에 대한 ☐ 이 생겼다.
어떤 일을 해낼 수 있다고 굳게 믿는 느낌

❺ 그 선수는 고통을 ☐ 한 결과 마침내 국가 대표가 되었다.
괴로움이나 어려움을 참고 견딤.

❻ 나는 친구에게 잘못한 일에 대해 ☐ 를 대지 않고 바로 사과했다.
잘못한 일에 대하여 이리저리 돌려 말하는 변명

밑줄 친 낱말에 알맞은 뜻을 찾아 연결하세요.

1. 친구로부터 다정한 편지를 받고 마음이 뿌듯하다.
2. 이순신의 전술은 역사에 남을 만큼 위대하다.
3. 선생님 몰래 친구의 숙제를 베끼다.
4. 우리 반 반장은 성실하고 근면하다.
5. 어제 다툰 친구와 화해하려고 애쓰다.
6. 동생의 잘못을 엄마에게 일러바치다.

- 꾸준하고 부지런하다.
- 능력, 업적 따위가 뛰어나고 훌륭하다.
- 남의 잘못 따위를 윗사람에게 알리다.
- 마음과 힘을 다하여 무엇을 이루려고 힘쓰다.
- 글이나 그림 따위를 그대로 옮겨 쓰거나 그리다.
- 기쁨이나 감격이 마음에 가득 차서 벅차다.

어휘력을 높이는 확인 학습

다음 빈칸에 낱말을 넣어 문장을 완성하세요.

준말

낱말의 일부분이 줄어든 말

예 '새'는 '사이'의 ☐☐이다.

거치다

오가는 도중에 어디를 지나가거나 들르다.

예 우리는 문구점을 ☐쳐서 학교로 갔다.

붙이다

맞닿아 떨어지지 아니하게 하다.

예 친구에게 보낼 편지 봉투에 우표를 ☐였다.

걸치다

옷이나 이불 따위를 아무렇게나 입거나 덮다.

예 지각할까봐 옷을 아무렇게나 ☐☐고 나갔다.

맞춤법

문자를 적을 때 바르게 쓰기 위해 정한 규칙

예 그는 ☐☐☐에 어긋나는 부분을 바르게 고쳐 썼다.

부치다

편지나 물건 따위를 일정한 수단이나 방법을 써서 상대에게 보내다.

예 나는 전학 간 친구에게 편지를 ☐쳤다.

국어사전

우리말의 낱말들을 모아 낱말들의 발음, 뜻, 쓰임 따위를 풀어서 설명한 책

예 책을 읽다가 모르는 낱말을 ☐☐☐☐에서 찾아보았다.

기호

어떤 뜻을 나타내기 위한 문자나 부호

예 낱말의 정확한 발음을 익히기 위해 사전에서 발음 ☐☐를 살펴보았다.

발명

전에는 없었던 물건을 새롭게 만들어 낸 것

예 장영실이 물시계를 ☐☐했다.

베끼다

글이나 그림 따위를 그대로 옮겨 쓰거나 그리다.

예 다른 사람의 숙제를 ☐☐지 마세요.

발견

이미 있었던 사실을 모르고 있다가 찾아낸 것

예 콜럼버스가 아메리카 대륙을 ☐☐했다.

지저귀다

새 따위가 계속하여 소리 내어 울다.

예 나무 위에서 참새가 ☐☐☐고 있다.

근면하다

꾸준하고 부지런하다.

예 매일 일찍 와서 책을 읽는 민희는 정말 ☐☐☐☐.

애쓰다

마음과 힘을 다하여 무엇을 이루려고 힘쓰다.

예 흔들거리는 발판 위에서 중심을 잡으려고 ☐☐☐.

자신감

어떤 일을 해낼 수 있다고 굳게 믿는 느낌

예 민호는 어학연수를 다녀와서 영어에 대한 ☐☐☐이 생겼다.

끈기

그만두지 않고 계속해서 참고 견디는 성질

예 축구 선수가 우승의 비결은 쉽게 포기하지 않는 ☐☐라고 말했다.

8장 의견이 있어요

국어 교과서 212~237쪽

1 주제별 어휘 의견

의견은 '어떤 대상에 대하여 가지는 생각'이에요. 의견은 일반적으로 까닭과 함께 제시되는데 의견과 까닭을 함께 파악하며 글을 읽으면 글을 이해하는 데 도움이 돼요.

주어진 낱말에 알맞은 뜻을 찾아 연결하세요.

낱말	뜻
① 의견	일이 생기게 된 원인이나 조건
② 제시	어떤 대상에 대하여 가지는 생각
③ 의도	무엇을 하고자 하는 생각이나 계획
④ 파악	어떤 내용을 확실하게 이해하여 앎.
⑤ 까닭	무엇을 하고자 하는 어떤 생각을 말이나 글로 나타내어 보임.

2 모양을 흉내 내는 말 들쑥날쑥

'들쑥날쑥'은 '들어가기도 하고 나오기도 하여 가지런하지 않은 모양'을 흉내 내는 말이에요.

텃밭에 채소가 **들쑥날쑥** 자라고 있다.

빈칸에 알맞은 낱말을 [보기]에서 찾아 써 보세요.

보기

불쑥 삐죽 들쑥날쑥 사뿐사뿐 조근조근

1. 동생이 자고 있어서 [ ] 걸어 다녔다.
   소리가 나지 않도록 가볍게 계속해서 걷는 모양

2. 아기가 금방이라도 울듯 입을 [ ] 내밀었다.
   비웃거나 기분이 나쁘거나 울려고 할 때 소리 없이 입을 내미는 모양

3. 그는 자신이 하고 싶은 말을 [ ] 늘어놓았다.
   낮은 목소리로 자세하게 이야기를 하는 모양

4. 아이들이 선 줄이 똑바르지 않고 [ ] 엉망이다.
   들어가기도 하고 나오기도 하여 가지런하지 않은 모양

5. 장난을 치고 있는데 선생님께서 [ ] 교실로 들어오셨다.
   갑자기 쑥 나타나거나 생기거나 하는 모양

3 사람을 가리키는 말과 부르는 말 도령

우리말에는 사람을 가리키거나 부르는 말이 있어요. '도령'은 '총각'을 대접하여 이르는 말이고 '소저'는 '아가씨'를 한문 투로 이르는 말이에요.

앞에 가는 사람은 옆집에 사는 박 **도령**이다.
'총각'을 대접하여 이르는 말

주어진 뜻에 알맞은 낱말을 찾아 ○표 하세요.

1. '도령'의 높임말 → 도련님 도령님

2. '총각'을 대접하여 이르는 말 → 도령 신랑

3. '아가씨'를 한문 투로 이르는 말 → 소녀 소저

4. '시집갈 나이의 여자'를 이르거나 부르는 말 → 아가씨 아저씨

5. 아랫사람들이 '젊은 여자'를 높여 이르는 말 → 아씨 부인

6. '조선 시대에, 정이품 이상의 벼슬아치'를 높여 부르던 말 → 사또 대감

4 뜻을 더하는 말 -다시피

'-다시피'는 '-는 바와 같이'라는 뜻을 지닌 말이에요. '알다시피'는 '아는 바와 같이'라는 뜻이지요.

알- + -다시피 → 알다시피
-다시피: -는 바와 같이
알다시피: 아는 바와 같이

밑줄 친 부분을 하나의 낱말로 바꿔 써 보세요.

1. 너도 아는 바와 같이 나는 초콜릿을 좋아해. → 알다시피

2. 너도 듣는 바와 같이 교실이 너무 시끄러워. →

3. 너도 보는 바와 같이 내 손에는 아무것도 없어. →

4. 너도 짐작하는 바와 같이 소영이는 지금 기분이 좋지 않아. →

5. 너도 느끼는 바와 같이 우리 집 강아지는 털이 아주 보드라워. →

5 잘못 쓰기 쉬운 말 꼼꼼히

'빈틈이 없이 차분하고 조심스러운 모양'을 나타내는 '꼼꼼히'는 '꼼꼼이'로 잘못 쓰지 않도록 주의해야 해요.

청소가 덜 된 부분이 있는지 교실을 꼼꼼히 살펴보았다.
꼼꼼이(×)

문장에 알맞은 낱말을 찾아 ○표 하세요.

1. 나는 밑줄을 그어 가며 책을 (꼼꼼이 / 꼼꼼히) 읽는다.
   빈틈이 없이 차분하고 조심스러운 모양

2. 내 옷에 묻은 얼룩을 엄마께서 (말끔이 / 말끔히) 지워 주셨다.
   티 없이 맑고 환할 정도로 깨끗하게

3. 바람이 불고 지나간 자리에 낙엽이 (수북이 / 수북히) 쌓여 있다.
   쌓이거나 담긴 물건 따위가 불룩하게 많이

4. 이 의자는 (튼튼이 / 튼튼히) 만들어 무거운 무게도 버틸 수 있다.
   무르거나 느슨하지 아니하고 몹시 야무지고 굳세게

5. 교실 바닥을 닦아 더러워진 대걸레를 수돗가에서 (깨끗이 / 깨끗히) 빨았다.
   사물이 더럽지 않게

6. 친구와 다투고 나서 내가 무엇을 잘못했는지 (곰곰이 / 곰곰히) 생각해 보았다.
   여러모로 깊이 생각하는 모양

6 합쳐진 말 바느질

두 말이 합쳐질 때 원래는 있던 'ㄹ'이 없어지는 경우가 있어요. '바늘'과 '질'이 합쳐져 '바느질'이 되는 것처럼 말이에요.

바늘 + 질 → 바느질
두 낱말이 합쳐질 때 'ㄹ'이 사라짐.

월

일

빈칸에 알맞은 낱말을 써 보세요.

1. '남의 딸'을 높여 이르는 말 — 딸 + 님 = ☐

2. '말과 소'를 아울러 이르는 말 — 말 + 소 = ☐

3. 쌀과 그 밖의 곡식을 파는 가게 — 쌀 + 전 = ☐

4. '소나뭇과의 모든 식물'을 통틀어 이르는 말 — 솔 + 나무 = ☐

5. 바늘에 실을 꿰어 옷 따위를 짓거나 꿰매는 일 — 바늘 + 질 = ☐

6. 활시위를 팽팽하게 당겼다 놓으면 그 힘으로 멀리 날아가도록 만든 물건 — 활 + 살 = ☐

7 자주 쓰는 말 머리를 맞대다

'머리를 맞대다'라는 말은 '머리를 마주 닿게 하다.'라는 뜻도 있지만 '의견을 주고받기 위해 서로 마주 대하다.'라는 새로운 뜻으로 쓰이기도 해요.

선수들이 경기에서 이길 방법을 찾기 위해 **머리를 맞대다**.
의견을 주고받기 위해 서로 마주 대하다.

밑줄 친 말에 알맞은 뜻을 찾아 연결하세요.

	보기		뜻
1	연습을 많이 해서 춤 동작이 몸에 익다.	• •	잘난 체하고 뽐내는 기세가 있다.
2	엄마의 잔소리에 귀가 따갑다.	• •	손으로 슬쩍 때려도 몹시 아프다.
3	그는 똑똑해서 그런지 코가 높다.	• •	너무 여러 번 들어서 듣기가 싫다.
4	예지는 손이 작지만 정말 손이 맵다.	• •	여러 번 겪거나 치러서 아주 익숙해지다.
5	어려운 문제를 풀기 위해 친구와 머리를 맞대다.	• •	어떤 일에 대해 생각을 나누기 위하여 서로 마주 대하다.

8 단위를 나타내는 말 근

물건에 따라 단위를 나타내는 말이 달라요. 쇠고기는 '한 근, 두 근'처럼 세고, 쌀은 '한 말, 두 말'처럼 세지요.

쇠고기 한 근 (고기를 셀 때)

쌀 두 말 (곡식을 셀 때)

23일

월 일

빈칸에 알맞은 낱말을 [보기]에서 찾아 써 보세요.

보기

근 땀 말 채 통 컵

1. 엄마가 정육점에서 고기 두 ☐ 을 샀다.
   고기를 세는 단위

2. 전학 간 친구로부터 편지 한 ☐ 이 왔다.
   편지나 전화 따위를 세는 단위

3. 시골에서 삼촌이 쌀 한 ☐ 을 보내 주셨다.
   곡식, 액체, 가루 따위의 부피를 잴 때 쓰는 단위

4. 우리 학교 옆에는 고층 아파트가 여러 ☐ 있다.
   집을 세는 단위

5. 나는 매일 아침에 일어나서 우유를 한 ☐ 씩 마신다.
   음료 따위를 세는 단위

6. 할머니께서는 몇 ☐ 만 더 뜨면 솔기가 마무리된다고 하셨다.
   실을 꿴 바늘로 한 번 뜬 자국을 세는 단위

9 뜻이 반대인 말 이롭다/해롭다

'이롭다'는 '보탬이 되는 것이 있다.'라는 뜻이고, '해롭다'는 '좋지 않게 되는 점이 있다.'라는 뜻으로 서로 반대되는 말이에요.

이롭다 ⇄ **해롭다**
보탬이 되는 것이 있다. 좋지 않게 되는 점이 있다.

밑줄 친 낱말과 뜻이 반대인 낱말을 [보기]에서 찾아 써 보세요.

보기

해롭다 낭비하다 무례하다 복잡하다 한가하다

1. 그 사람은 언제나 태도와 말씨가 정중하다. → ( )
   정중하다: 예의바르고 점잖다.
   태도나 말에 예의가 없다.

2. 매일 규칙적인 운동을 하는 것은 건강에 이롭다. → ( )
   이롭다: 이익이 있다.
   해가 되는 점이 있다.

3. 양치할 때에는 컵에 물을 받아 써서 물을 아끼다. → ( )
   아끼다: 물건이나 돈, 시간 따위를 마구 쓰지 아니하다.
   물건이나 돈, 시간 따위를 마구 쓰다.

4. 그 공장은 일이 많아서 쉬는 날이 없을 만큼 바쁘다. → ( )
   바쁘다: 일이 많거나 또는 서둘러서 해야 할 일로 인하여 딴 겨를이 없다.
   겨를이 생겨 여유가 있다.

5. 이 물건은 누구나 쉽게 쓸 수 있을 만큼 사용법이 간편하다. → ( )
   간편하다: 간단하고 편리하다.
   여럿이 겹치고 뒤섞여 있다.

10 짝을 이루는 말 어이없다

'있다'와 '없다' 중 어느 하나와만 어울려서 만들어진 낱말이 있어요. '맛'은 '있다', '없다'와 모두 어울려서 낱말이 만들어질 수 있지만 '어이'는 '없다'와만 붙여 쓸 수 있어요.

네가 한 행동이 **어이없다**.
어이있다(×)

24일
월
일

문장에 알맞은 낱말을 찾아 ○표 하세요.

1. 네가 그런 거짓말을 하다니 (어이없다 / 어이있다).
   일이 너무 뜻밖이어서 기가 막히는 듯하다.

2. 그 일에 (뜻없으면 / 뜻있으면) 언제든지 말해라.
   일 따위를 하고 싶은 생각이 있으면

3. 우리는 말이 잘 통해서 대화가 (끊임없다 / 끊임있다).
   계속하거나 이어져 있던 것이 끊이지 아니하다.

4. 아버지와 그분은 형제간이나 (다름없다 / 다름있다).
   견주어 보아 같거나 비슷하다.

5. 웬일로 동생이 숙제를 방해하지 않고 (가만없다 / 가만있다).
   몸을 움직이거나 활동하지 않고 조용히 있다.

11 타교과 어휘 사회

다음 그림에 알맞은 낱말을 [보기]에서 찾아 써 보세요.

보기

가마 비행기 증기선 소달구지

❶ 증기 기관으로 움직이는 배

❷ 예전에, 안에 사람을 태우고 둘 또는 넷이 들고 이동하는 조그만 집 모양의 탈것

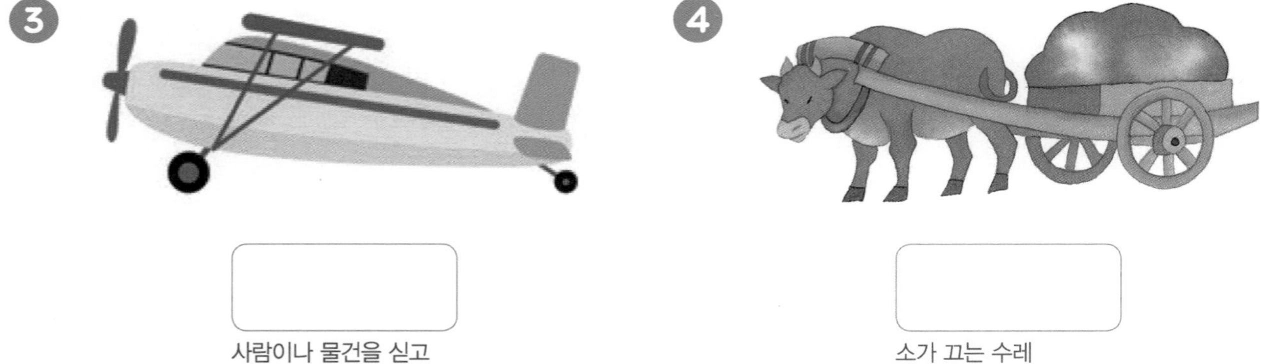

❸ 사람이나 물건을 싣고 하늘을 날아다니는 탈것

❹ 소가 끄는 수레

밑줄 친 낱말에 알맞은 뜻을 찾아 연결하세요.

❶ 자율 주행 기능은 매우 편리하다.

❷ 금요일에는 지방으로 출장을 간다.

❸ 거리에는 이색 풍경이 펼쳐져 있었다.

❹ 아빠 앞으로 서찰 한 통이 도착하였다.

❺ 우리 아빠는 버스를 이용하여 출근을 하신다.

❻ 경찰 아저씨가 수신호로 교통정리를 하고 있었다.

- 손으로 하는 신호
- 보통의 것과 색다름.
- 일터로 근무하러 나가거나 나옴.
- 일을 위하여 잠시 다른 곳으로 떠남.
- 다른 사람에게 하고 싶은 말을 적어서 보내는 글
- 운전자가 직접 운전하지 않고, 차량 스스로 도로에서 달리게 하는 일

어휘력을 높이는 확인 학습

다음 빈칸에 글자를 넣어 낱말을 완성하세요.

1 정 □ 하다	예의바르고 점잖다.
2 □ 령	'총각'을 대접하여 이르는 말
3 의 □	어떤 대상에 대하여 가지는 생각
4 의 □	무엇을 하고자 하는 생각이나 계획
5 □ 장	일을 위하여 잠시 다른 곳으로 떠남.
6 □ 끔 □	티 없이 맑고 환할 정도로 깨끗하게
7 □ 쑥	갑자기 쑥 나타나거나 생기거나 하는 모양
8 조 □ 조 □	낮은 목소리로 자세하게 이야기를 하는 모양
9 □ 씨	아랫사람들이 '젊은 여자'를 높여 이르는 말
10 □ 시	무엇을 하고자 하는 어떤 생각을 말이나 글로 나타내어 보임.

정답 1. 중 2. 도 3. 견 4. 도 5. 출 6. 말, 히 7. 불 8. 근, 근 9. 아 10. 제

11 ☐ 신 ☐ — 손으로 하는 신호

12 ☐ 색 — 보통의 것과 색다름.

13 ☐ 롭다 — 해가 되는 점이 있다.

14 ☐ 님 — '남의 딸'을 높여 이르는 말

15 무 ☐ 하 ☐ — 태도나 말에 예의가 없다.

16 뜻 ☐ 다 — 일 따위를 하고 싶은 생각이 있다.

17 ☐ 북 ☐ — 쌓이거나 담긴 물건 따위가 불룩하게 많이

18 ☐ 이 ☐ 다 — 일이 너무 뜻밖이어서 기가 막히는 듯하다.

19 바 ☐ 질 — 바늘에 실을 꿰어 옷 따위를 짓거나 꿰매는 일

20 ☐ 찰 — 다른 사람에게 하고 싶은 말을 적어서 보내는 글

정답 11. 수, 호 12. 이 13. 해 14. 따 15. 례, 다 16. 있 17. 수, 이 18. 어, 없 19. 느 20. 서

9장 어떤 내용일까

국어 교과서 238~265쪽

1 짐작하며 읽기

낱말의 뜻이나 생략된 내용을 글에 있는 단서를 통해 짐작하며 글을 읽으면 글을 이해하는 데 도움이 돼요.

밑줄 친 낱말에 알맞은 뜻을 찾아 연결하세요.

❶	글에서 단서를 찾아가며 읽었다.	전체에서 일부를 줄이거나 뺌.
❷	앞뒤 문맥을 살펴보며 글을 읽었다.	이어져 있는 문장들이 이루는 뜻의 줄기
❸	뜻을 모르는 낱말의 의미를 짐작하다.	사정이나 형편 따위를 미루어 생각함.
❹	의미가 비슷한 두 낱말의 뜻을 비교하다.	서로 간의 비슷한 점, 다른 점 따위를 밝힘.
❺	이 글은 생략된 내용이 많아서 이해가 잘 되지 않는다.	어떤 일이나 사건이 일어난 까닭을 풀어 나갈 수 있는 실마리

2 주제별 어휘 지진

'지진'과 관련된 말이 있어요. '지진'과 관련된 말을 익히고 '지진'에 대비하는 방법을 알아보도록 해요.

빈칸에 알맞은 낱말을 [보기]에서 찾아 써 보세요.

보기

대피 발령 해일 확보 산사태 승강기

1. (   )이 해안에 밀어닥쳤다.
   갑자기 바닷물이 크게 일어서 육지로 넘쳐 들어오는 자연 현상

2. 나무를 많이 베면 (   )가 일어나기 쉽다.
   큰비나 지진, 화산 따위로 바윗돌이나 흙이 갑자기 무너져 내리는 현상

3. 지진이 나면 문을 열어 출입문을 (   )해야 한다.
   확실히 가지고 있음.

4. 산에서 지진이 발생하면 안전한 장소로 (   )해야 한다.
   위험이나 피해를 입지 않도록 일시적으로 피함.

5. 건물 안에서 지진이 발생했을 경우 (   )를 타면 안 된다.
   동력을 사용하여 사람이나 화물을 아래위로 나르는 장치

6. 해안에서 지진 특보가 (   )되면 높은 곳으로 이동해야 한다.
   긴급 상황에 대한 경보를 발표함.

3 올바른 발음 읽다[익따], 읽기[일끼]

겹받침 'ㄺ'은 뒤에 자음이 뒤따라올 때에 주로 [ㄱ]으로 소리 나요. 다만 뒤에 자음 'ㄱ'이 올 때에는 [ㄹ]로 소리 나지요.

'ㄱ' 이외의 자음이 오면
읽다 → [익따]
'ㄺ' 뒤에 [ㄱ]으로 소리 남.

'ㄱ'이 오면
읽기 → [일끼]
'ㄺ' 뒤에 [ㄹ]로 소리 남.

밑줄 친 부분의 알맞은 발음을 찾아 ○표 하세요.

1. 보름달이 참 밝지? → [발찌] [박찌]

2. 달이 참 밝기도 하다. → [발끼] [박끼]

3. 벌레 물린 곳을 긁지 마. → [글찌] [극찌]

4. 나의 취미는 책 읽기이다. → [일끼] [익끼]

5. 날이 포근하고 하늘이 맑다. → [말따] [막따]

6. 책을 읽고 독후감을 써야겠다. → [일꼬] [익꼬]

4 합쳐진 말 살갗, 나뭇가지

'살갗'은 '살'과 '가죽'이 합쳐진 말이에요. '갗'은 '가죽'의 옛말이지요. 또 '나뭇가지'는 '나무'와 '가지'가 합쳐진 말인데 합쳐질 때 'ㅅ'이 생겨났어요.

살 + 가죽 → 살갗　　**나무 + 가지 → 나뭇가지**

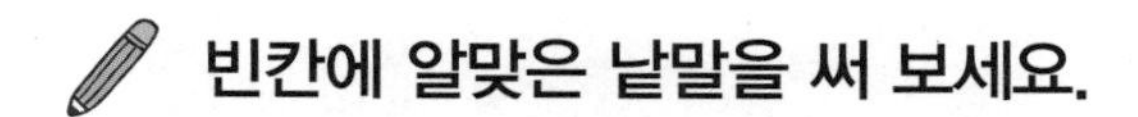

빈칸에 알맞은 낱말을 써 보세요.

1. 살갗 = 살 + 가죽

   살가죽의 겉면

2. 담쟁이덩굴 = ☐ + ☐

3. 나뭇가지 = ☐ + ☐

4. 암수 = 암컷 + ☐

5. 실마리 = ☐ + 머리

   일이나 사건을 풀어 나갈 수 있는 첫머리

6. 풀숲 = ☐ + ☐

5 느낌을 나타내는 말 가뿐하다

'가뿐하다'는 '몸의 상태가 가볍고 상쾌하다.'라는 뜻이에요. 또 '한가롭다'는 '바쁘지 않고 여유가 있는 느낌이 있다.'라는 뜻이지요. 이와 같은 말들은 느낌이나 감정을 나타내 주는 말이에요.

밑줄 친 낱말에 알맞은 뜻을 찾아 연결하세요.

	문장		뜻
1	시험이 끝나니 <u>한가롭다</u>.	•	• 몸의 상태가 가볍고 상쾌하다.
2	욕심을 버리니 <u>홀가분하다</u>.	•	• 바쁘지 않고 여유가 있는 느낌이 있다.
3	축구를 잘하는 영수가 <u>부럽다</u>.	•	• 신경이 쓰이지 아니하고 가볍고 편안하다.
4	숙제를 끝마치니 마음이 <u>후련하다</u>.	•	• 좋지 아니하던 속이 풀리거나 내려서 시원하다.
5	지연이와 화해를 하니 마음이 <u>가뿐하다</u>.	•	• 남의 좋은 일을 보고 자기도 그런 일을 이루기를 바라는 마음이 있다.

6 모양을 흉내 내는 말 팔랑팔랑

'팔랑팔랑'은 '바람에 힘차고 가볍게 계속 나부끼는 모양'을 흉내 낸 말이에요.

26일

월

일

빈칸에 알맞은 낱말을 [보기]에서 찾아 써 보세요.

보기

푸르르 반짝반짝 살금살금 팔랑팔랑 폴짝폴짝

1. 마루가 (   ) 윤이 난다.
   작은 빛이 나타났다가 사라졌다가 하는 모양

2. 코스모스가 바람에 (   ) 흔들린다.
   바람에 힘차고 가볍게 계속 나부끼는 모양

3. 어제 잠을 못 잤더니 눈이 (   ) 떨렸다.
   몸의 일부가 가볍게 떨리는 모양

4. 아이들은 선물을 받고 신이 나서 (   ) 뛰었다.
   작은 것이 자꾸 세차고 가볍게 뛰어오르는 모양

5. (   ) 다가가서 꽃잎 위에 앉아 있는 잠자리를 관찰했다.
   남이 알아차리지 못하도록 눈치를 살펴 가면서 살며시 행동하는 모양

7 한자성어 견원지간

개와 원숭이의 사이라는 뜻을 지닌 '견원지간'은 서로 좋지 않은 관계를 이르는 한자성어예요.

견원지간: 犬 / 猿 / 之 / 間
개 견 원숭이 원 갈 지 사이 간

주어진 한자성어에 알맞은 뜻을 찾아 연결하세요.

① 견원지간 •	• 개와 고양이의 사이
② 관포지교 •	• 개와 원숭이의 사이
③ 죽마고우 •	• 함께 죽마를 타던 오래된 벗
④ 견묘지간 •	• '관중'과 '포숙아'처럼 참된 사귐.

다음 설명에 알맞은 한자성어를 [보기]에서 찾아 두 개씩 써 보세요.

보기

견묘지간 견원지간 관포지교 죽마고우

① 친구와의 우정을 나타내는 말 ⇨ ______, ______

② 서로 좋지 않은 관계를 이르는 말 ⇨ ______, ______

8 헷갈리기 쉬운 말 헤치다/해치다

'헤치다'는 '속에 든 물건을 드러나게 하려고 덮인 것을 파거나 젖히다.'라는 뜻이고, '해치다'는 '사람의 마음이나 몸에 해를 입히다.'라는 뜻이에요.

수풀을 **헤치다.** 해치다(×)

건강을 **해치다.** 헤치다(×)

뜻을 참고하여 빈칸에 알맞은 글자를 써 보세요.

1. ㉠ 사람의 마음이나 몸에 해를 입히다.
   ㉡ 속에 든 물건을 드러나게 하려고 덮인 것을 파거나 젖히다.

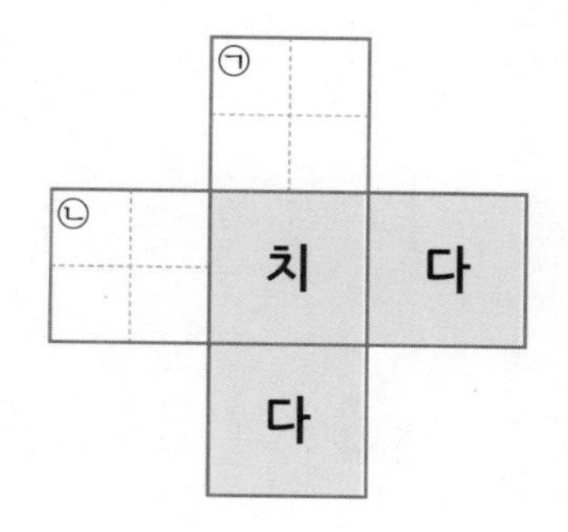

2. ㉢ 틀림없이 꼭
   ㉣ 물건이나 행동 따위가 비뚤어지거나 기울지 아니하고 바르게

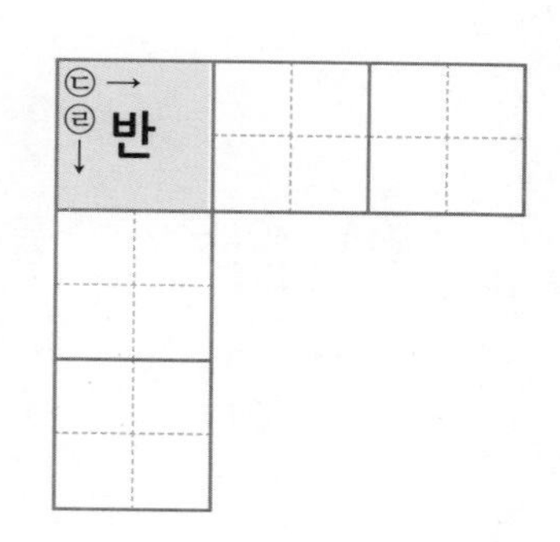

다음 문장에 어울리는 낱말을 찾아 ○표 하세요.

1. 의자에 앉을 때 자세를 (반드시 / 반듯이) 해라.
2. 숙제를 다 하고 나서 놀겠다는 약속을 (반드시 / 반듯이) 지켜라.
3. 음식을 지나치게 많이 먹는 것은 사람의 건강을 (헤친다 / 해친다).
4. 소풍을 가서 보물을 찾으려고 풀숲을 (헤쳤다 / 해쳤다).

9 바꿔 쓸 수 있는 말 서약

'서약'과 '맹세'는 '일정한 약속이나 목표를 꼭 실천하겠다고 다짐함.'이라는 비슷한 뜻을 지니고 있어요. 이와 같이 비슷한 뜻을 가진 낱말들은 때에 따라 서로 바꿔 쓸 수 있어요.

사랑의 [서약 / 맹세]
바꿔 쓸 수 있음.

밑줄 친 낱말과 바꿔 쓸 수 있는 낱말을 [보기]에서 찾아 써 보세요.

보기

몰두　　서약　　차단　　참석　　흡반

1. 그 선수는 온종일 훈련에만 열중하고 있다. → ( )
   한 가지 일에 정신을 쏟음.

2. 외부인이 들어오지 못하도록 출입문을 봉쇄했다. → ( )
   굳게 막아 버리거나 잠금.

3. 이번 학교 행사에는 작년보다 많은 학생들이 참가했다. → ( )
   모임이나 단체 또는 일에 들어감.

4. 수족관 유리벽에 붙어 있는 문어의 빨판을 살펴보았다. → ( )
   다른 동물이나 물체에 달라붙기 위한 기관

5. 나는 엄마에게 다시는 동생과 싸우지 않겠다고 맹세했다. → ( )
   일정한 약속이나 목표를 꼭 실천하겠다고 다짐함.

10 줄여 쓰는 말 좀

'조금'의 준말은 '좀'이에요. '쫌'으로 잘못 쓰지 않도록 주의할 필요가 있어요.

어제 텔레비전을 보느라 잠을 좀 늦게 잤다.
쫌(×)

27일
월
일

다음 문장에 알맞은 낱말을 찾아 ○표 하세요.

1. 나를 (좀 / 쫌)만 기다려 줘.

2. 국에 소금을 (좀 / 쫌) 넣어 먹어라.

3. 잠을 자고 나니 기분이 (좀 / 쫌) 나아졌다.

4. (좀 / 쫌) 늦잠을 잤지만 지각을 하지 않았다.

5. 배가 고프지 않아서 밥을 (좀 / 쫌)만 먹었다.

6. 여기서 (좀 / 쫌) 더 가면 우리 학교가 나온다.

11 타교과 어휘 과학

빈칸에 알맞은 낱말을 찾아 ○표 하고, 바르게 써 보세요.

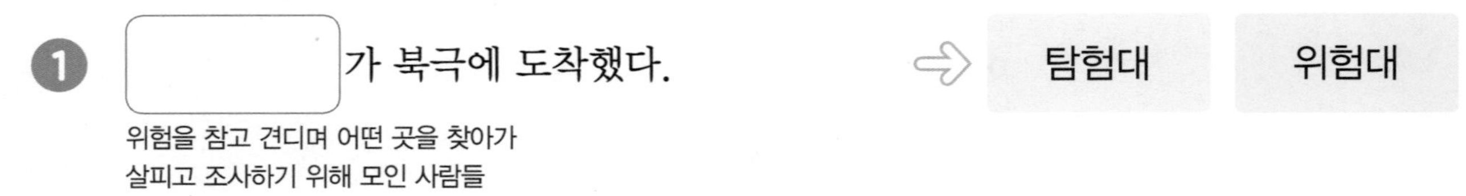

1. (　　　)가 북극에 도착했다. → 탐험대 / 위험대

위험을 참고 견디며 어떤 곳을 찾아가 살피고 조사하기 위해 모인 사람들

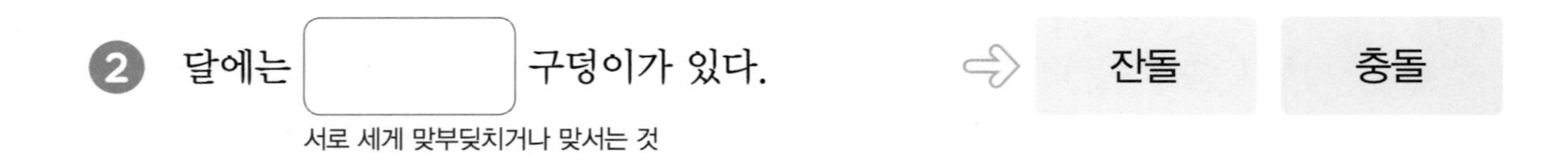

2. 달에는 (　　　) 구덩이가 있다. → 잔돌 / 충돌

서로 세게 맞부딪치거나 맞서는 것

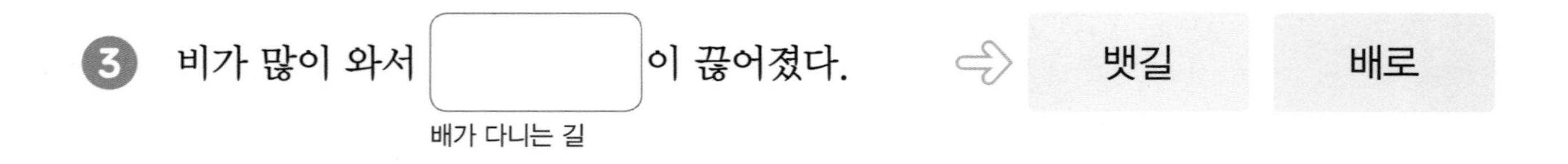

3. 비가 많이 와서 (　　　)이 끊어졌다. → 뱃길 / 배로

배가 다니는 길

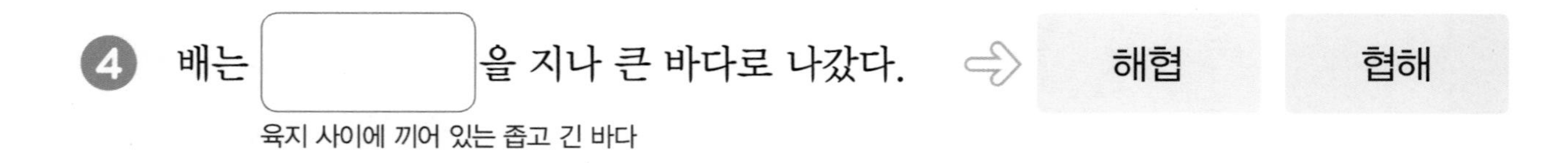

4. 배는 (　　　)을 지나 큰 바다로 나갔다. → 해협 / 협해

육지 사이에 끼어 있는 좁고 긴 바다

5. 나는 세계 (　　　)를 하는 것이 꿈이다. → 일기 / 일주

일정한 경로로 한 바퀴 돎.

6. 지구의 (　　　)에는 산, 들, 강 등이 있다. → 표면 / 수면

사물의 가장 바깥쪽. 또는 가장 윗부분

밑줄 친 낱말에 알맞은 뜻을 찾아 연결하세요.

1. 환경을 잘 보존하다.
2. 시골길이 울퉁불퉁하다.
3. 커튼으로 햇볕을 차단하다.
4. 과일을 색깔별로 구분하다.
5. 산 위에 있는 바위가 편평하다.
6. 바닥이 왁스칠을 하니 아주 매끈매끈하다.

- 바닥이 넓고 고르다.
- 잘 보호하고 간수하여 남기다.
- 어떤 기준에 따라 전체를 몇 개의 부분으로 나누다.
- 흠이나 거친 데가 없어 밀리어 나갈 정도로 몹시 보드랍다.
- 물이나 연기 따위가 흐르는 통로를 막거나 끊어서 통하지 못하게 하다.
- 물체의 겉 부분이나 바닥이 고르지 않게 여기저기 몹시 나오고 들어간 데가 있다.

27일

월

일

어휘력을 높이는 확인 학습

다음 빈칸에 낱말을 넣어 문장을 완성하세요.

후련하다
좋지 아니하던 속이 풀리거나 내려서 시원하다.
예 밀린 숙제를 끝내고 나니 마음이 ☐☐하다.

발령
긴급 상황에 대한 경보를 발표함.
예 지진 경보가 ☐☐되자 주민들은 긴급 대피했다.

문맥
이어져 있는 문장들이 이루는 뜻의 줄기
예 한 낱말이 ☐☐에 따라 다른 뜻으로 사용되었다.

풀숲
풀이 무성한 수풀
예 ☐☐ 사이를 걷다가 뱀을 발견해서 깜짝 놀랐다.

푸르르
몸의 일부가 가볍게 떨리는 모양
예 언니는 시험 공부로 피곤했는지 눈을 ☐☐☐ 떨었다.

단서
어떤 일이나 사건이 일어난 까닭을 풀어 나갈 수 있는 실마리
예 ☐☐를 발견한 후 사건은 빠르게 해결되기 시작했다.

해일
갑자기 바닷물이 크게 일어서 육지로 넘쳐 들어오는 자연 현상
예 지진이 일어나고 잠시 뒤에 ☐☐이 발생했다.

산사태
큰비나 지진, 화산 따위로 바윗돌이나 흙이 갑자기 무너져 내리는 현상
예 ☐☐☐로 많은 집들이 큰 피해를 입었다.

해치다

사람의 마음이나 몸에 해를 입히다.

예 담배는 사람의 건강을 ☐친다.

편평하다

바닥이 넓고 고르다.

예 ☐☐한 바위들을 골라 징검다리를 만들었다.

헤치다

속에 든 물건을 드러나게 하려고 덮인 것을 파거나 젖히다.

예 화로를 ☐☐니 잘익은 고구마가 있었다.

반듯이

물건이나 행동 따위가 비뚤어지거나 기울지 아니하고 바르게

예 식탁에 수저를 ☐☐☐ 놓아라.

일주

일정한 경로로 한 바퀴 돎.

예 그는 세계를 ☐☐하고 돌아와서 여행 책을 냈다.

열중

한 가지 일에 정신을 쏟음.

예 나는 책에 ☐☐하느라 동생이 내 방에 들어온 줄도 몰랐다.

견원지간

개와 원숭이의 사이라는 뜻으로, 사이가 매우 나쁜 두 관계를 비유적으로 이르는 말

예 그들은 서로 눈만 마주쳐도 싸워서 ☐☐☐☐ 같다.

반드시

틀림없이 꼭

예 이번 체육 대회에서는 ☐☐☐ 우리 반이 응원 상을 탈 것이다.

10장 문학의 향기

국어 교과서 266~297쪽

1 문학이 주는 이로움

생각이나 감정을 언어로 표현한 예술을 '문학'이라고 해요. 문학은 우리에게 재미와 감동 등 많은 이로움을 준답니다.

다음은 문학 작품의 이로움을 설명한 것이에요. 빈칸에 알맞은 낱말을 [보기]에서 찾아 써 보세요.

보기

감동　　교훈　　문화　　반성　　재미

1. 우리의 마음을 울리는 ☐을 느낄 수 있다.
   크게 느끼어 마음이 움직임.

2. 다른 사람들의 삶과 ☐를 이해할 수 있다.
   한 사회에 전체적으로 나타나는 일반적인 분위기

3. 다양한 표현과 이야기를 통해 ☐를 즐길 수 있다.
   즐거운 기분이나 느낌

4. 자신이 살아온 삶의 태도를 ☐하고 살필 수 있다.
   자신의 행동에 대하여 잘못이나 부족함이 없는지 돌이켜 봄.

5. 삶을 살아가는 데 도움이 될 만한 ☐을 얻을 수 있다.
   도움이 되거나 따를 만한 가르침.

2 감동을 나타내는 말 벅차다

많은 사람들이 문학 작품을 읽고 '감동을 받았다.'라고 말해요. 사람들이 감동을 주는 문학 작품을 좋아하는 이유가 여기에 있지요.

다음은 감동을 나타내는 낱말을 의미별로 정리한 것이에요. 어울리지 않는 낱말을 찾아 ✔표 하세요.

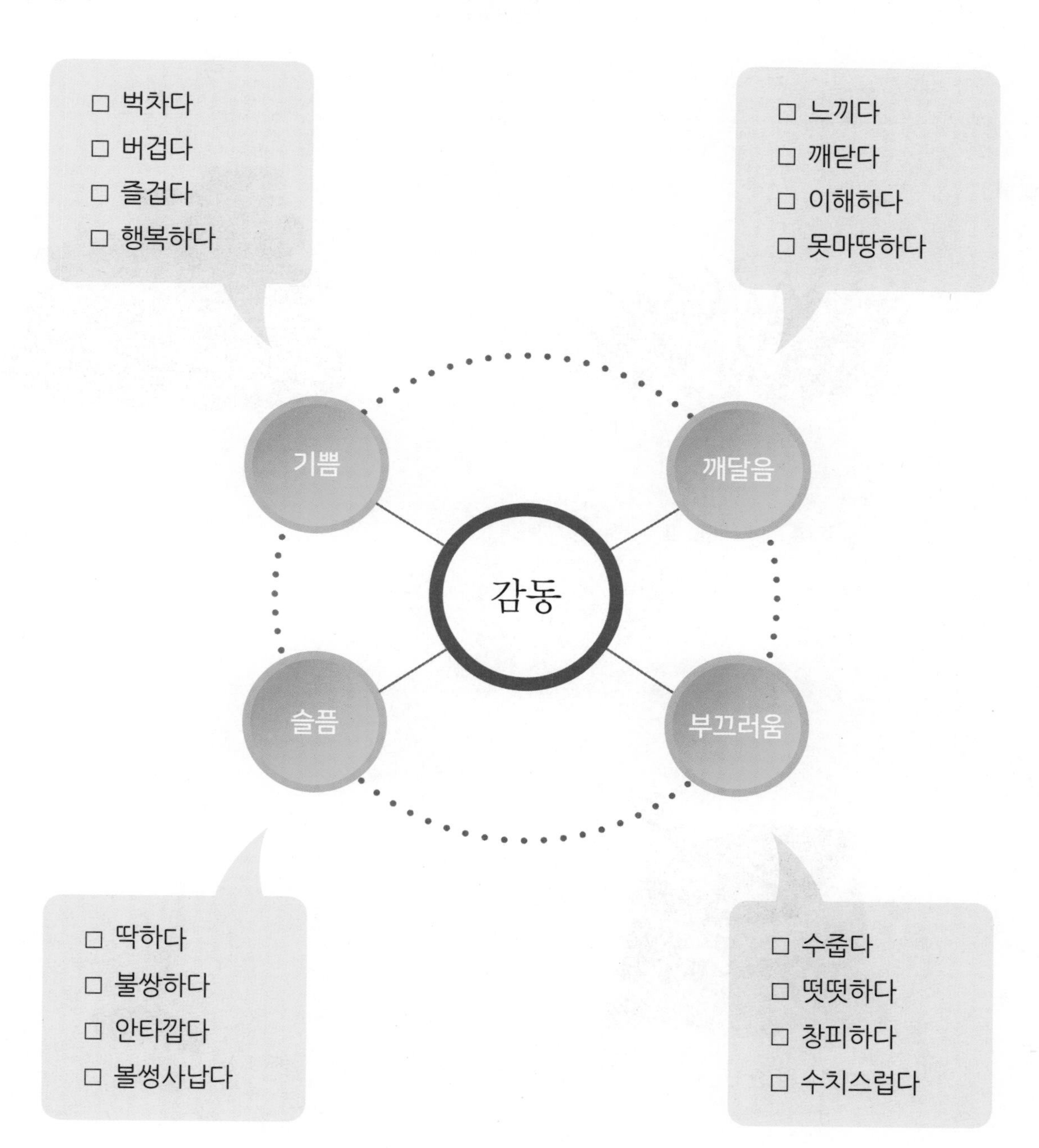

3 주제별 어휘 농사

곡식과 채소를 기르고 거두는 일을 '농사'라고 해요. 농사를 지으려면 그에 맞는 땅과 재료, 기구들이 필요하답니다.

그림에 알맞은 낱말을 [보기]에서 찾아 써 보세요.

보기

논　　밭　　갈퀴　　거름

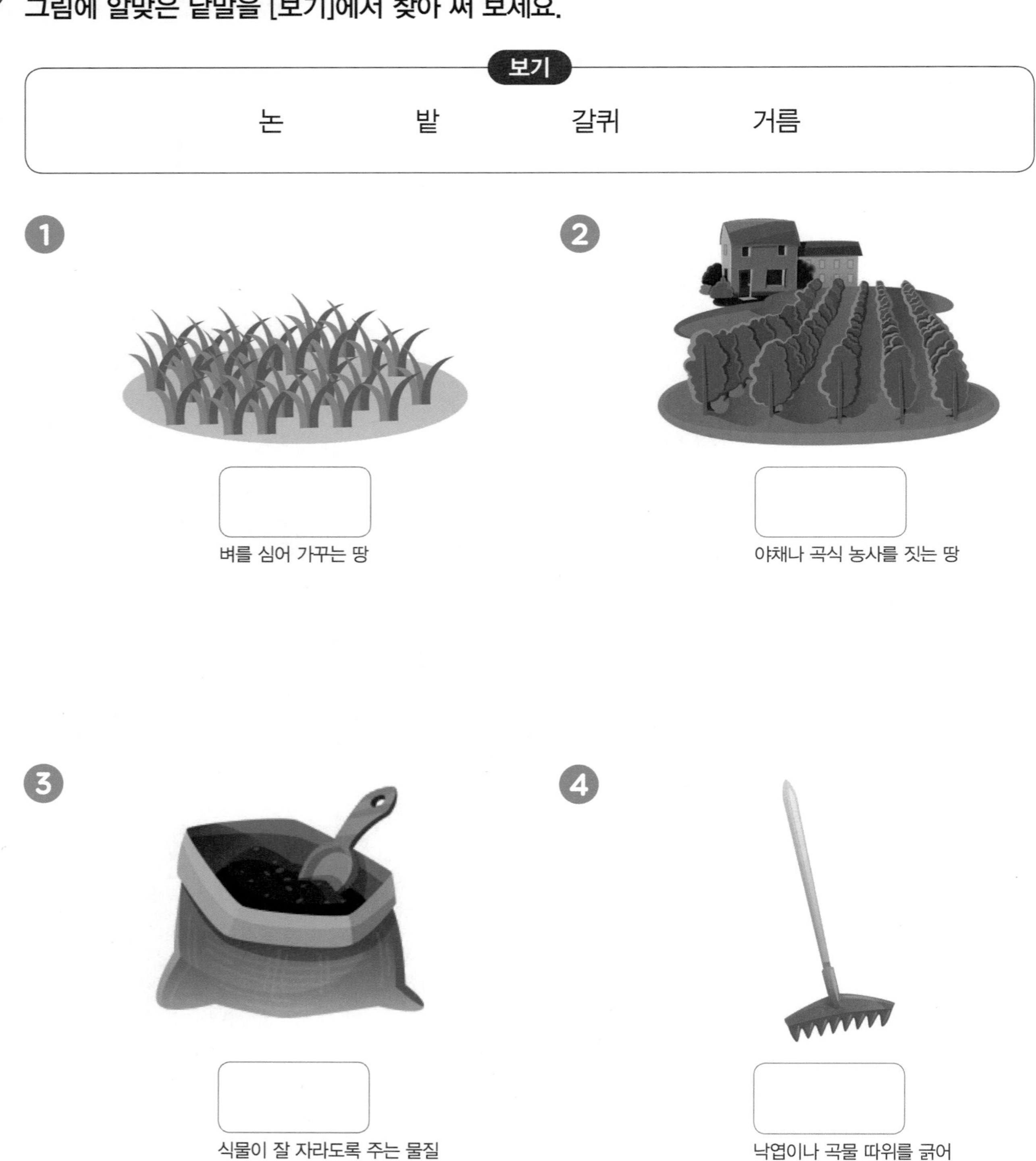

1. 벼를 심어 가꾸는 땅
2. 야채나 곡식 농사를 짓는 땅
3. 식물이 잘 자라도록 주는 물질
4. 낙엽이나 곡물 따위를 긁어 모으는 데 쓰는 기구

4 시간을 나타내는 말 별안간

'금세'는 '얼마 지나지 않은 때'를 나타내는 말이에요. 이처럼 시간을 가리키는 표현은 사건이 일어난 때나 사건이 일어난 시간의 정도 등을 나타내는 말로 쓰여요.

앞차가 [금세 / 별안간 / ⋮] 멈춰 섰다. → 시간의 정도를 나타냄.

28일 월 일

빈칸에 알맞은 낱말을 [보기]에서 찾아 써 보세요.

보기

금세 찰나 한참 별안간 온종일

1 그가 자리에 앉으려던 ( ) 에 버스가 출발했다.
지극히 짧은 순간

2 곧 전쟁이 날 거라는 소문이 ( ) 온 마을에 퍼졌다.
시간이 얼마 지나지 않아서

3 병원에 감기 환자가 많아서 대기실에서 ( ) 을 기다렸다.
시간이 상당히 지나는 동안

4 영희는 엄마의 심부름을 잊어버린 채 ( ) 놀이터에서 놀았다.
아침부터 저녁까지 내내

5 ( ) 천둥 번개가 치더니 굵은 빗줄기가 마구 쏟아지기 시작했다.
갑작스럽고 아주 짧은 동안

5 뜻이 여러 가지인 말 걸다

'걸다'는 '매달아 놓다.'라는 가장 기본적인 뜻 외에도 여러 가지 뜻으로 쓰이는 말이에요.

벽에 액자를 걸다. (걸다: 매달아 놓다.)	방문에 문고리를 걸다. (걸다: 자물쇠를 채우다.)

밑줄 친 낱말의 알맞은 뜻을 찾아 번호를 써 보세요.

걸다
① 매달아 놓다.
② 자물쇠를 채우다.
③ 솥, 냄비 따위를 쓰기 위해 준비하다.
④ 기계 따위가 작동되도록 하다.

1. 문밖에서 자동차에 시동을 거는 소리가 났다. → ☐
2. 방을 꾸미면서 내가 그린 그림을 벽에 걸어 두었다. → ☐
3. 아버지는 저녁밥을 짓기 위해 아궁이에 솥을 걸었다. → ☐
4. 자전거를 잃어버리지 않도록 바퀴에 자물쇠를 걸었다. → ☐
5. 골목에서 튀어나온 고양이를 보고 자전거에 브레이크를 걸었다. → ☐

6 합쳐진 말 빗길

낱말과 낱말이 합쳐져서 하나의 낱말이 될 때, 앞 낱말이 모음으로 끝나면 'ㅅ'이 덧붙는 경우가 있어요. '빗길'은 '비'와 '길'이 합쳐지면서 'ㅅ'이 생겼어요.

비 + 길 → 빗길
두 낱말이 합쳐질 때 'ㅅ'이 생김.

다음 두 낱말이 합쳐져서 생겨나는 낱말을 써 보세요.

1. 비가 내리는 길 → 비 + 길 = [ ]
2. 재의 큰 덩어리 → 재 + 더미 = [ ]
   - 재: 불에 타고 남은 가루
   - 더미: 많은 물건이 쌓인 큰 덩어리
3. 귀의 둘레나 끝부분 → 귀 + 가 = [ ]
   - 가: 둘레나 끝
4. 바다에 고여 있는 짠물 → 바다 + 물 = [ ]
5. 학교에서 집으로 돌아오는 길 → 학교 + 길 = [ ]
6. 생각이 이루어지는 머리 안 → 머리 + 속 = [ ]

7 헷갈리기 쉬운 말 들리다/들르다

'소리가 들려오다.'는 뜻의 '들리다'와 '지나가는 길에 거치다.'는 뜻의 '들르다'는 형태가 비슷하지만 전혀 다른 뜻으로 쓰이는 낱말이에요.

소문이 **들리다.** 들르다(×)	친구 집에 **들르다.** 들리다(×)

주어진 뜻을 참고하여 문장에 어울리는 낱말을 찾아 ○표 하세요.

들리다	소리 따위가 귀에 들려오다.
들르다	지나가는 길에 잠깐 머무르다.

1. 어머니의 심부름으로 시장에 (들리다 / 들르다).

2. 아이들이 키득대는 소리가 (들리다 / 들르다).

3. 집에 가는 길에 학교 앞 문방구에 (들리다 / 들르다).

떠벌이다	굉장한 규모로 차리다.
떠벌리다	이야기를 부풀려서 늘어놓다.

4. 나만 아는 언니의 약점을 (떠벌이다 / 떠벌리다).

5. 친구들에게 자신의 경험담을 (떠벌이다 / 떠벌리다).

6. 욕심을 내어 이것저것 사업을 (떠벌이다 / 떠벌리다).

8 바꿔 쓸 수 있는 말 모질다

'모질다'는 '몹시 매섭고 독하다.'는 뜻으로 '지독하다'와 바꿔 쓸 수 있어요.

그녀의 성격은 매우 [모질다 / 지독하다].
바꿔 쓸 수 있음.

다음 밑줄 친 낱말과 바꿔 쓸 수 있는 낱말을 찾아 ○표 하세요.

1 아이를 잃고 가슴이 미어지다.

슬프다	미워지다
뿌듯하다	멀어지다

2 옆집의 떠드는 소리가 거슬리다.

긁다	신나다
되돌리다	불쾌하다

3 할아버지는 인정이 많고 어질다.

질리다	착하다
복잡하다	어지럽다

4 군인이 된 형은 무척이나 늠름하다.

느리다	예쁘다
느끼하다	당당하다

5 그녀는 전쟁에서 살아남을 정도로 모질다.

미치다	질리다
지독하다	모자르다

6 아이를 지켜보는 아버지의 마음이 흐뭇하다.

우습다	흡족하다
찜찜하다	시원하다

9 띄어쓰기 주먹만 하다

'주먹만 하다'에서 '-만'은 앞의 낱말의 크기나 정도가 비슷함을 나타내는 도움말이에요. 이런 도움말은 앞말과 붙여 써야 해요. 하지만 낱말과 낱말은 띄어 써야 하므로 '만'과 '하다'는 띄어 쓰도록 해요.

주먹만 하다　　사과만 하다

다음 문장을 바르게 띄어 써 보세요.

1. 사과가주먹만하다.

사	과	가		주	먹	만		하	다	.

2. 얼굴이사과만하다.

3. 파도가집채만하다.

*집채: 집의 한 덩이

4. 집이손바닥만하다.

5. 개가송아지만하다.

10 줄여 쓰는 말 돼

'나는 올해 열 살이 되었다.'라는 문장에서 '되었다'는 줄여서 '됐다'라고 쓰기도 해요. 'ㅚ'와 'ㅓ'가 줄어들면 'ㅙ'로 쓰여요.

'ㅓ'와 만남.
올해 열 살이 되었다. → 올해 열 살이 됐다.
'ㅚ'가
됬다(×)

30일
월
일

밑줄 친 부분을 알맞게 줄여 써 보세요.

1. 얼음이 녹아 물이 되었다. ⇨ ☐
2. 봄이 되어서 꽃이 피었다. ⇨ ☐
3. 왕자는 마법에 걸려 야수가 되었다. ⇨ ☐
4. 우리는 커서 훌륭한 사람이 되어야 한다. ⇨ ☐

다음 문장에 알맞은 낱말을 찾아 ○표 하세요.

1. 학생은 나무로 (된 / 됀) 책상에 앉았다.
2. 밥이 다 (되서 / 돼서) 온 가족이 식사를 했다.
3. 그는 무리에서 떨어져서 낙동강 오리알이 (됬다 / 됐다).
   무리에서 떨어져 나와 홀로 된 신세

11 타교과 어휘 도덕

빈칸에 알맞은 낱말을 [보기]에서 찾아 써 보세요.

보기

고비 꾸중 우애 조손 효도 다문화

1. 자식은 부모님께 ( ) 를 해야 한다.
   부모를 정성껏 잘 섬기는 일

2. 엄마에게 ( ) 을 들으니 몹시 속상했다.
   아랫사람의 잘못을 꾸짖는 말

3. 우리 형제는 ( ) 가 좋다고 학교에 소문이 났다.
   형제간 또는 친구 간의 사랑이나 정

4. 경수네는 할머니 할아버지와 함께 사는 ( ) 가정이다.
   할아버지와 할머니, 손자나 손녀를 아울러 이르는 말

5. 가족의 응원 덕분에 어려운 ( ) 를 잘 넘길 수 있었다.
   일이 되어 가는 과정에서 가장 중요하거나 힘든 순간

6. 진정한 ( ) 사회로 가기 위해서는 다양한 문화에 대한 이해가 필요하다.
   한 사회 안에 여러 민족이나 여러 국가의 문화가 함께 있는 것을 이르는 말

밑줄 친 낱말에 알맞은 뜻을 찾아 연결하세요.

	문장		뜻
1	문제점을 보완하다.		멋있고 보기에 좋다.
2	어린 동생을 보살피다.		서로 뜻이 맞고 정답다.
3	우리 가족은 화목하다.		정성을 기울여 보호하며 돕다.
4	힘을 합쳐 어려움을 극복하다.		악조건이나 고생 따위를 이겨 내다.
5	부모가 아이의 잘못을 나무라다.		잘못을 꾸짖어 알아듣도록 말하다.
6	식당의 분위기가 근사하다.		모자라거나 부족한 것을 보충하여 완전하게 하다.

어휘력을 높이는 확인 학습

다음 빈칸에 글자를 넣어 낱말을 완성하세요.

1 □ 더 □	재의 큰 덩어리
2 찰 □	지극히 짧은 순간
3 □	벼를 심어 가꾸는 땅
4 별 □ 간	갑작스럽고 아주 짧은 동안
5 금 □	시간이 얼마 지나지 않아서
6 하 □ 길	학교에서 집으로 돌아오는 길
7 교 □	도움이 되거나 따를 만한 가르침.
8 조 □	할아버지와 할머니, 손자와 손녀를 아울러 이르는 말
9 고 □	일이 되어 가는 과정에서 가장 중요하거나 힘든 순간
10 □ 성	자신의 행동에 대하여 잘못이나 부족함이 없는지 돌이켜 봄.

정답 1. 잿, 미 2. 나 3. 논 4. 안 5. 세 6. 굣 7. 훈 8. 손 9. 비 10. 반

11 □가	귀의 둘레나 끝부분
12 □사하다	멋있고 보기에 좋다.
13 떠벌□다	굉장한 규모로 차리다.
14 화□하다	서로 뜻이 맞고 정답다.
15 □동	크게 느끼어 마음이 움직임.
16 들□다	소리 따위가 귀에 들려오다.
17 떠벌□다	이야기를 부풀려서 늘어놓다.
18 들□다	지나가는 길에 잠깐 머무르다.
19 우□	형제간 또는 친구 간의 사랑이나 정
20 □문□	한 사회 안에 여러 민족이나 여러 국가의 문화가 함께 있는 것을 이르는 말

정답 11. 귓 12. 근 13. 이 14. 목 15. 감 16. 리 17. 리 18. 르 19. 애 20. 다, 화

MEMO

MEMO

MEMO

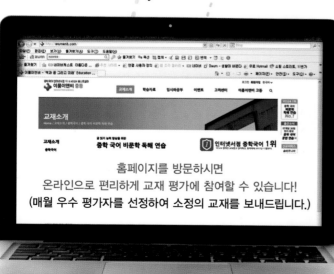

글 읽기 능력이 향상되면

모든 공부의 **자신감**도 **향상**됩니다.

신간

숨마어린이

초등국어 **독해왕** 시리즈

1단계/2단계/3단계/4단계/5단계/6단계 (전 6권)

숨마 어린이®

정답 및 해설

눈으로 보는 정답 및 도움말

▸ 학생 지도 자료로 활용할 수 있습니다.

초등국어
어휘력 향상을 위한
어휘왕

3-1

이룸이앤비
Education&Books

1장 재미가 톡톡톡

국어 교과서 30~65쪽

1 감각적 표현

우리는 신체의 감각 기관을 통해 사물을 느낄 수 있어요. 감각 기관을 통해 느껴지는 사물에 대한 느낌을 생생하게 표현하는 것을 '감각적 표현'이라고 해요.

도움말▲ 감각 기관은 외부의 자극을 느끼는 몸의 일부분을 말해요.

다음 낱말과 관련 있는 감각 기관을 [보기]에서 찾아 써 보세요.

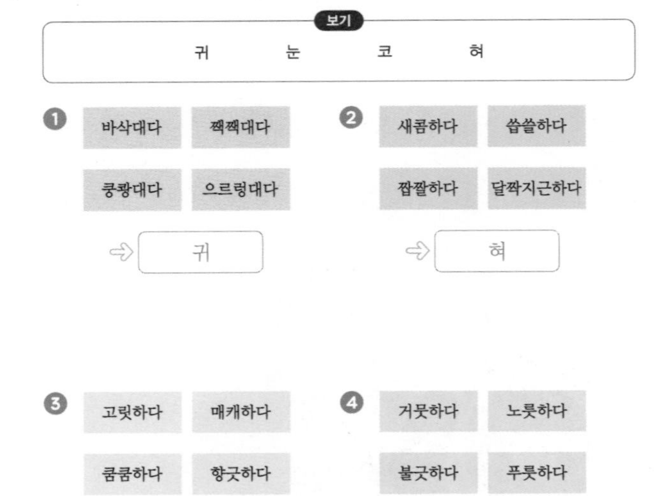

보기: 귀 눈 코 혀

❶ 바삭대다 짹짹대다 쿵쾅대다 으르렁대다 ⇨ 귀

❷ 새콤하다 씁쓸하다 짭짤하다 달짝지근하다 ⇨ 혀

❸ 고릿하다 매캐하다 쿰쿰하다 향긋하다 ⇨ 코

❹ 거뭇하다 노릇하다 불긋하다 푸릇하다 ⇨ 눈

다음 그림이 나타내는 감각을 알맞게 찾아 연결하세요.

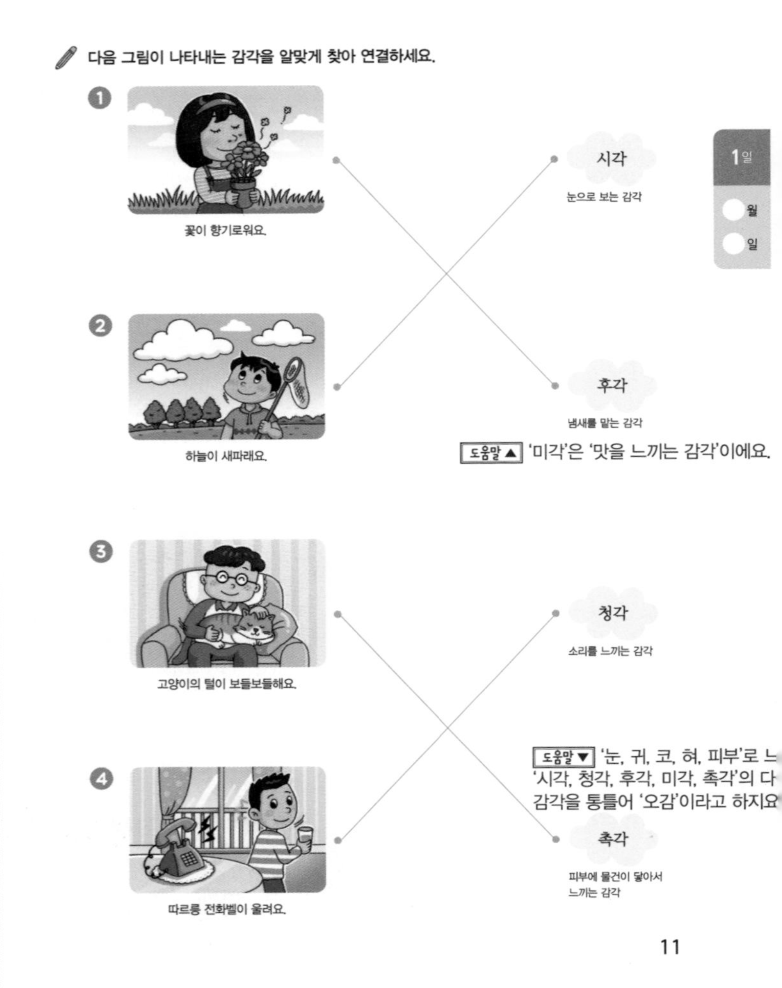

❶ 꽃이 향기로워요.

❷ 하늘이 새파래요.

❸ 고양이의 털이 보들보들해요.

❹ 따르릉 전화벨이 울려요.

시각 — 눈으로 보는 감각

후각 — 냄새를 맡는 감각

도움말▲ '미각'은 '맛을 느끼는 감각'이에요.

청각 — 소리를 느끼는 감각

도움말▼ '눈, 귀, 코, 혀, 피부'로 느끼는 '시각, 청각, 후각, 미각, 촉각'의 다섯 감각을 통틀어 '오감'이라고 하지요.

촉각 — 피부에 물건이 닿아서 느끼는 감각

1일 월 일

2 띄어쓰기 큰집, 큰 집

'큰집'과 '큰 집'은 의미가 전혀 다른 말이에요. '큰집'으로 붙여 쓸 때에는 '맏이의 집'을 가리키는 말로, '큰 집'으로 띄어 쓸 때에는 단순히 '크기가 큰 집'을 가리키는 말로 쓰여요.

명절을 맞아 큰집에 가다. 작은 집에서 큰 집으로 옮겨 가다.

도움말▲ 이와 마찬가지로 붙여 쓴 '작은집'은 '작은아버지의 집'을 뜻하고, 띄어 쓴 '작은 집'은 '크기가 작은 집'을 뜻해요.

주어진 뜻을 참고하여 다음 문장에 어울리는 말을 찾아 ○표 하세요.

큰집	집안의 맏이가 사는 집
큰 집	크기가 큰 집

❶ (큰집 / 큰 집)으로 이사를 하니 거실이 넓어서 좋다.

❷ 우리는 새해가 되면 (큰집 / 큰 집)에 세배를 드리러 간다.

❸ 할아버지께서 (큰집 / 큰 집) 장손을 보았다고 기뻐하셨다.

집안	가족이 되어 생활하는 공동체
집 안	집의 안쪽

❹ (집안 / 집 안)에 꽃을 두니 분위기가 화사해졌다.

❺ 우리는 명절에 가까운 (집안 / 집 안)끼리 모인다.

❻ 영훈이는 (집안 / 집 안) 사정으로 학교에 나오지 않았다.

3 꾸며 주는 말 겨우

'겨우'는 '어렵게 힘들여'라는 뜻을 가진 말이에요. 이와 같은 말은 다른 말이나 문장을 꾸며 주어요.

겨우 그림을 완성했다. (꾸며 줌.)

1일 월 일

빈칸에 알맞은 낱말을 [보기]에서 찾아 써 보세요.

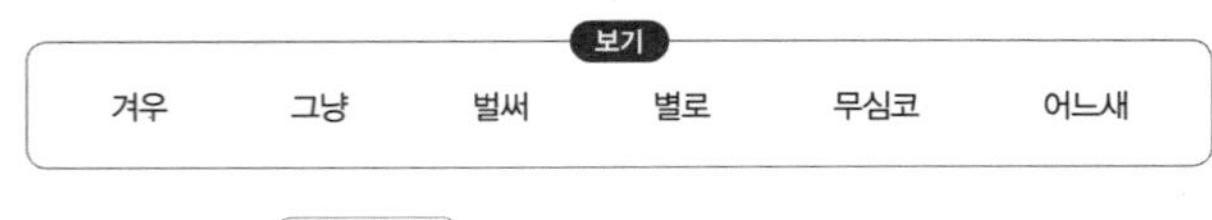

보기: 겨우 그냥 벌써 별로 무심코 어느새

❶ 나는 엄마가 [그냥] 좋다. (바라는 바나 조건 따위가 없이)

❷ [무심코] 길을 가다가 내 짝꿍을 만났다. (아무런 뜻이나 생각이 없이)

도움말▼ '가까스로'도 '겨우'와 비슷한 뜻의 낱말이에요.

❸ 시간을 오래 들여 [겨우] 숙제를 완성했다. (어렵게 힘들여)

❹ [어느새] 봄이 와 길가에 개나리가 활짝 피었다. (어느 틈에 벌써)

❺ 밥을 먹은 지 얼마 지나지 않았는데 [벌써] 배가 고프다. (예상보다 빠르게)

❻ 날씨는 쌀쌀하지만 옷을 따뜻하게 입어서 [별로] 추운 줄 모르겠다. (이렇다 하게 따로, 또는 그다지 다르게)

4 모양을 흉내 내는 말 타박타박

모양을 흉내 내는 말인 '타박타박'은 '조금 느릿느릿 힘없는 걸음으로 걸어가는 모양'을 나타내는 말이에요. 이와 같은 말을 사용하면 상황을 좀 더 실감 나게 표현할 수 있어요.

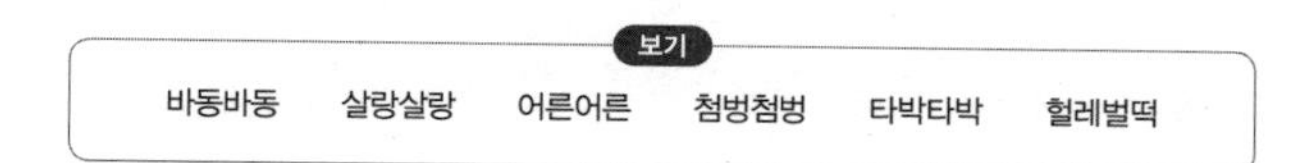

✎ 빈칸에 알맞은 낱말을 [보기]에서 찾아 써 보세요.

보기: 바동바동 살랑살랑 어른어른 첨벙첨벙 타박타박 헐레벌떡

1. 봄바람이 [살랑살랑] 부니 기분이 좋다.
   바람이 가볍게 자꾸 부는 모양
2. 나는 학교에서 집까지 [타박타박] 걸어갔다.
   조금 느릿느릿 힘없는 걸음으로 걸어가는 모양
3. 마당에서는 아지랑이가 [어른어른] 피어오른다.
   무엇이 보이다 말다 하는 모양

   도움말▼ '첨벙첨벙'은 '점벙점벙'보다 거센 느낌을 주는 말이에요.
4. 우리는 계곡에서 [첨벙첨벙] 물장구를 치고 놀았다.
   큰 물체가 물에 자꾸 부딪치거나 잠기는 모양

   도움말▼ '바동바동'은 '바둥바둥'보다 큰 느낌을 주는 말이에요.
5. 어린아이가 떼를 쓰며 [바동바동] 발버둥을 치고 있다.
   매달리거나 자빠져서 팔다리를 내젓는 모양
6. 정수는 무슨 일이 생겼는지 집으로 [헐레벌떡] 뛰어갔다.
   숨을 가쁘고 거칠게 몰아쉬는 모양

5 합쳐진 말 바위섬

'바위섬'은 '바위'와 '섬'이 합쳐진 말로 바위가 많은 섬이나 바위로 이루어진 섬을 뜻하는 말이에요. 이처럼 두 낱말이 합쳐져서 하나의 새로운 낱말이 되기도 해요.

바위섬 = 바위 + 섬

✎ 다음 낱말을 두 개의 낱말로 나누어 써 보세요.

3. 보름달 ⇨ [보름] + [달]

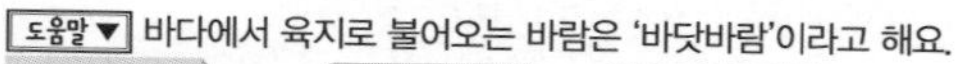

도움말▼ 바다에서 육지로 불어오는 바람은 '바닷바람'이라고 해요.

산바람 ⇨ 산 + 바람

산에서 불어오는 바람

날이 샐 무렵에 우는 닭

6 헷갈리기 쉬운 말 1 잊다 / 잃다

'알았던 것을 기억하지 못하다.'라는 뜻을 가진 말은 '잊다'이고, '가졌던 물건을 갖지 못하게 되다.'라는 뜻을 가진 말은 '잃다'예요. 두 낱말은 모양이 비슷할 뿐, 전혀 다른 말이에요.

숙제를 **잊다.** 기억하지 못하다.

가방을 **잃다.** 더이상 갖지 못하게 되다.

도움말▲ '잊다'의 발음은 [읻따]이고 '잃다'의 발음은 [일타]예요.

✎ 주어진 뜻을 참고하여 다음 문장에 어울리는 낱말을 찾아 ○표 하세요.

잊다	알았던 것을 기억하지 못하다.
잃다	가졌던 물건을 갖지 못하게 되다.

1. 선물로 받은 시계를 ((잃다) / 잊다).
2. 어제 외운 낱말을 까맣게 (잃다 / (잊다)).
3. 우산을 챙기는 것을 깜빡 ((잊다) / 잃다).

젖다	물이 배어 축축하게 되다.
젓다	고르게 섞이도록 손이나 기구 따위를 내용물에 넣고 이리저리 돌리다.

4. 비가 와서 옷이 물에 (젓다 / (젖다)).
5. 죽이 굳지 않도록 자꾸 ((젓다) / 젖다).
6. 물놀이를 하다가 머리가 다 (젓다 / (젖다)).

7 헷갈리기 쉬운 말 2 –장이 / –쟁이

'–장이'는 '그것과 관련된 기술을 가진 사람'이라는 뜻을 더하는 말이고, '–쟁이'는 '그것이 나타내는 특성을 많이 가진 사람'이라는 뜻을 더하는 말이에요.

기술을 가진 사람
옹기장이가 옹기를 만든다.
옹기쟁이(×)

특성을 가진 사람
내 동생은 **개구쟁이**다.
개구장이(×)

✎ 주어진 뜻에 알맞은 낱말을 써 보세요.

1. 겁이 많은 사람 ⇨ [겁][쟁][이]
2. 고집이 센 사람 ⇨ [고][집][쟁][이]
3. 멋있거나 멋을 잘 부리는 사람 ⇨ [멋][쟁][이]

   도움말▼ '개구쟁이'와 비슷한 뜻을 가진 말로 '장난꾸러기'가 있어요.
4. 심하고 짓궂게 장난을 하는 아이 ⇨ [개][구][쟁][이]
5. 도배하는 일을 직업으로 하는 사람 ⇨ [도][배][장][이]
6. 옹기 만드는 일을 직업으로 하는 사람 ⇨ [옹][기][장][이]

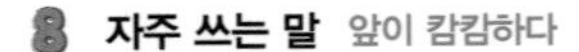

8 자주 쓰는 말 앞이 캄캄하다

'앞이 캄캄하다'라는 말은 원래 '앞이 어둡다.'라는 뜻을 가진 말이지만, 대책이 없어 어찌할 바를 모르는 상황을 표현할 때에도 쓰여요. 이처럼 전혀 새로운 뜻으로 굳어져서 쓰이는 말은 그 뜻을 잘 알아 둘 필요가 있어요.

중요한 시험에 떨어져서 **앞이 캄캄하다.**
대책이 없어 어찌할 바를 모르다.

밑줄 친 말이 문장에 어울리는 표현이 되도록 알맞은 낱말에 ○표 하세요.

1. 내 차례가 다가오니 (맥 / (심장))이 뛰다.
   가슴이 조마조마하거나 흥분되다.

   도움말▼ '귀를 팔다'는 '귀를 딴 데로 돌리어 잘 듣지 않다.'라는 뜻이에요.
2. 선생님의 말씀에 귀를 ((기울이다) / 팔다).
   남의 이야기나 의견에 관심을 가지고 주의를 모으다.
3. 비를 맞고 갈 생각을 하니 앞이 ((캄캄) / 훤)하다.
   대책이 없어 어찌할 바를 모르고 답답해하다.
4. 잔치에 쓸 음식을 만드느라 (생각 / (정신))이 없다.
   매우 바쁘다.
5. 새끼 강아지를 돌보는 어미 개의 모습에 코끝이 (아프다 / (찡하다)).
   몹시 감동을 받다.

9 형태는 같은데 뜻이 다른 말 배다

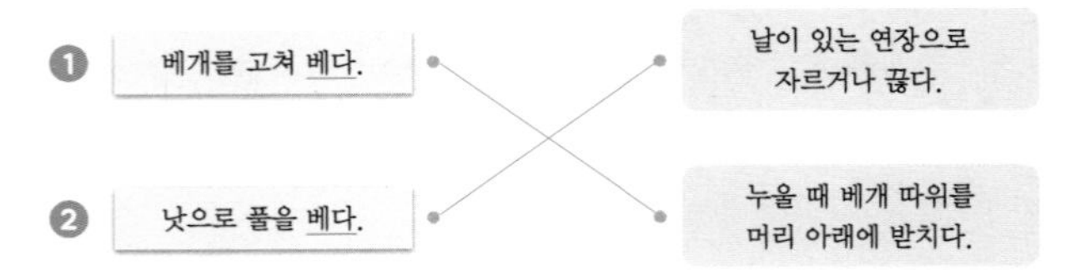

'스며들거나 스며 나오다.'라는 뜻의 '배다'와 '배 속에 아이나 새끼를 가지다.'라는 뜻의 '배다'는 형태는 같지만 전혀 다른 뜻을 가진 낱말이에요.

종이에 기름이 **배다.** 스며들거나 스며 나오다.

고양이가 새끼를 **배다.** 배 속에 아이나 새끼를 가지다.

밑줄 친 낱말에 알맞은 뜻을 찾아 연결하세요.

1. 베개를 고쳐 베다. — 누울 때 베개 따위를 머리 아래에 받치다.
2. 낫으로 풀을 베다. — 날이 있는 연장으로 자르거나 끊다.
3. 이마에 땀이 배다. — 스며들거나 스며 나오다.
4. 우리 집 개가 새끼를 배다. — 배 속에 아이나 새끼를 가지다.

도움말▼ '바람이 세차게 불거나 비, 눈 따위가 세차게 뿌리다.'라는 뜻으로 쓰는 '치다'라는 낱말도 있어요.

5. 창문에 커튼을 치다. — 막이나 그물, 따위를 펴서 벌이거나 늘어뜨리다.
6. 날아오는 공을 방망이로 치다. — 손이나 손에 든 물건으로 세게 부딪게 하다.

10 타교과 어휘 사회

빈칸에 알맞은 말을 [보기]에서 찾아 써 보세요.

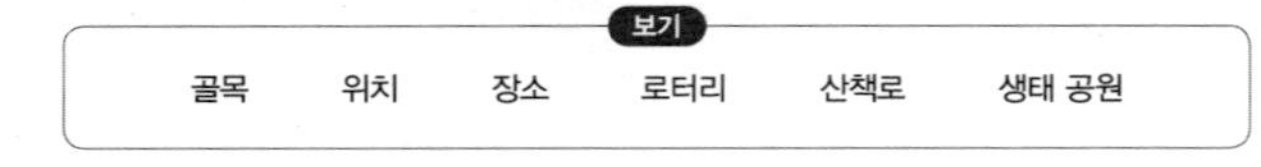

보기: 골목 위치 장소 로터리 산책로 생태 공원

1. 우리는 약속 [장소]를 놀이터로 정했다.
   어떤 일이 이루어지거나 일어나는 곳
2. 그 가게는 [위치]가 좋아서 사람이 항상 많다.
   일정한 곳에 자리를 차지함. 또는 그 자리

   도움말▼ '로터리'는 '환상교차로'라고도 해요.
3. 버스는 [로터리]를 돌아 다음 정거장으로 향했다.
   교통이 복잡한 네거리에 교통정리를 위하여 원형으로 만들어 놓은 길
4. 나는 엄마와 공원 [산책로]를 걷는 것을 좋아한다.
   산책할 수 있게 만든 길
5. 나는 [생태 공원]에서 다양한 식물과 곤충들을 구경했다.
   생물이 자연에서 살아가는 모습을 관찰할 수 있도록 만든 공원

   도움말▼ '골목'은 '골목길'로도 쓸 수 있어요.
6. [골목]을 통해서 가면 큰길로 가는 것보다 빨리 갈 수 있다.
   큰길에서 들어가 동네 안을 이리저리 통하는 좁은 길

밑줄 친 낱말에 알맞은 뜻을 찾아 연결하세요.

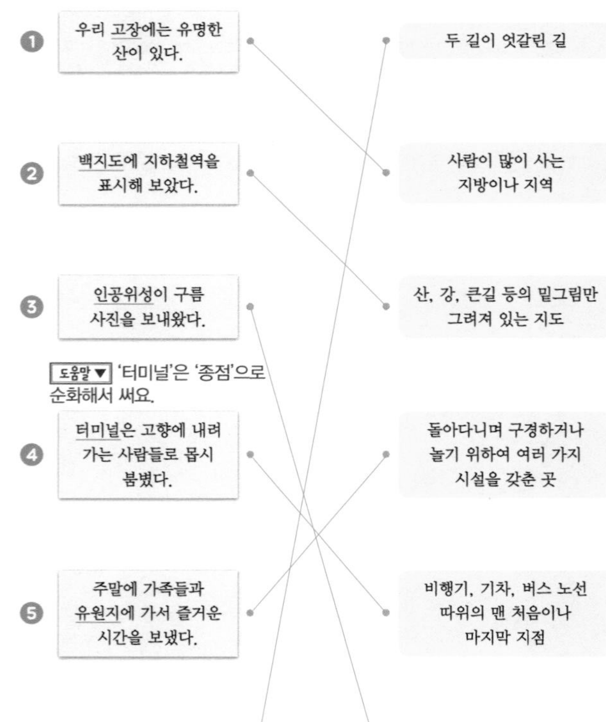

1. 우리 고장에는 유명한 산이 있다. — 사람이 많이 사는 지방이나 지역
2. 백지도에 지하철역을 표시해 보았다. — 산, 강, 큰길 등의 밑그림만 그려져 있는 지도
3. 인공위성이 구름 사진을 보내왔다. — 사람들이 만들어 쏘아 올린 비행 물체로 위치, 날씨 따위의 다양한 정보를 알려 주는 것

   도움말▼ '터미널'은 '종점'으로 순화해서 써요.
4. 터미널은 고향에 내려가는 사람들로 몹시 붐볐다. — 비행기, 기차, 버스 노선 따위의 맨 처음이나 마지막 지점
5. 주말에 가족들과 유원지에 가서 즐거운 시간을 보냈다. — 돌아다니며 구경하거나 놀기 위하여 여러 가지 시설을 갖춘 곳
6. 이 길로 곧장 가다가 교차로에서 오른쪽으로 꺾으면 놀이터가 있다. — 두 길이 엇갈린 길

2장 문단의 짜임

국어 교과서 66~85쪽

1 문단의 짜임

문단은 중심 문장과 뒷받침 문장을 갖추어 짜임새 있게 쓰는 것이 중요해요. 문단을 짜임에 맞게 써야 생각을 효과적으로 표현할 수 있어요.

도움말▲ 문장이 모여 문단이 되고, 문단이 모여 글이 되지요.

주어진 낱말에 알맞은 뜻을 찾아 연결하세요.

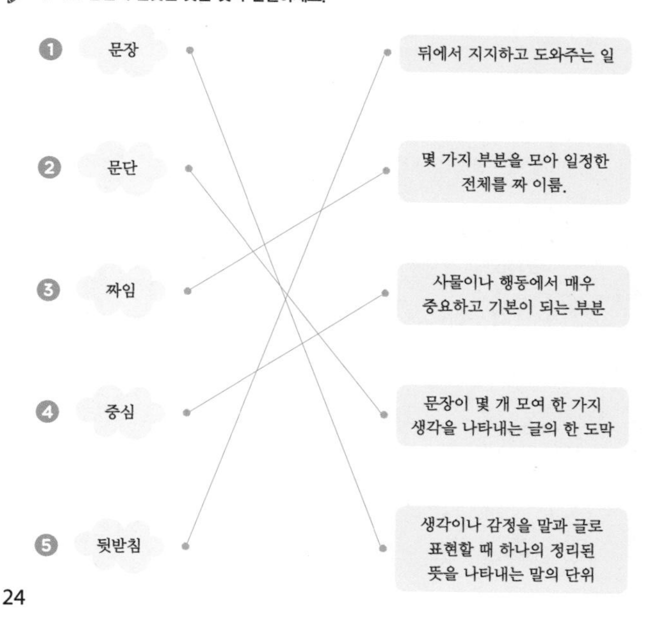

1. 문장 • • 뒤에서 지지하고 도와주는 일
2. 문단 • • 몇 가지 부분을 모아 일정한 전체를 짜 이룸.
3. 짜임 • • 사물이나 행동에서 매우 중요하고 기본이 되는 부분
4. 중심 • • 문장이 몇 개 모여 한 가지 생각을 나타내는 글의 한 도막
5. 뒷받침 • • 생각이나 감정을 말과 글로 표현할 때 하나의 정리된 뜻을 나타내는 말의 단위

(연결: 문장 – 생각이나 감정을 말과 글로 표현할 때 하나의 정리된 뜻을 나타내는 말의 단위, 문단 – 문장이 몇 개 모여 한 가지 생각을 나타내는 글의 한 도막, 짜임 – 몇 가지 부분을 모아 일정한 전체를 짜 이룸., 중심 – 사물이나 행동에서 매우 중요하고 기본이 되는 부분, 뒷받침 – 뒤에서 지지하고 도와주는 일)

2 주제별 어휘 요리

음식을 요리하는 데는 다양한 방법이 있어요. 같은 재료를 가지고도 어떻게 요리하느냐에 따라 전혀 다른 음식을 만들어 낼 수 있지요.

그림에 알맞은 낱말을 [보기]에서 찾아 써 보세요.

보기: 굽다 조리다 튀기다 반죽하다

1. 

반죽하다

가루에 물을 부어 이겨 개다.

2. 

튀기다

끓는 기름에 넣어서 부풀어 나게 하다.

도움말▼ '조리다'와 발음이 같은 '졸이다'는 '찌개, 국 등의 물을 줄어들게 하여 양이 적어지게 하다.'라는 뜻이에요.

3. 

조리다

음식을 국물에 넣고 끓여서 양념이 배게 하다.

4. 

굽다

음식을 불에 익히다.

3 뜻을 더하는 말 –꾸러기

'–꾸러기'는 몇몇 낱말의 뒤에 붙어 '그것이 심하거나 많은 사람'의 뜻을 더해 주는 말이에요.

나는 **잠꾸러기**이다. (잠이 아주 많은 사람)

나는 **장난꾸러기**이다. (장난이 심한 사람)

주어진 뜻에 알맞은 낱말을 써 보세요.

1. 장난이 심한 사람 ⇨ 장난꾸러기
2. 욕심이 많은 사람 ⇨ 욕심꾸러기
3. 늘 걱정이 많은 사람 ⇨ 걱정꾸러기
4. 심술이 매우 많은 사람 ⇨ 심술꾸러기
5. 자주 말썽을 일으키는 사람 ⇨ 말썽꾸러기
6. 늘 아침에 늦게까지 자는 사람 ⇨ 늦잠꾸러기

4 포함하는 말 놀이

'여러 사람이 모여서 즐겁게 노는 일이나 활동'을 뜻하는 '놀이'는 그 구체적인 종류를 나타내는 말인 '연날리기', '제기차기', '쥐불놀이'를 포함한다고 할 수 있어요.

놀이			→ 포함하는 말
연날리기	제기차기	쥐불놀이	→ 포함되는 말

주어진 낱말들을 포함하는 낱말을 찾아 ○표 하세요.

1. 약과, 강정, 엿 ⇨ (과자) 과일 채소

도움말▼ '동짓날'은 일 년 중 밤이 가장 길고 낮이 가장 짧은 날이에요.

2. 설날, 단오, 동짓날 ⇨ 추석 (명절) 대보름날
3. 쌀, 조, 깨, 옥수수 ⇨ 떡 가루 (곡식)
4. 요리사, 경찰관, 변호사 ⇨ 사업 (직업) 부업

도움말▼ '쥐불놀이'는 정월 대보름의 전날에 논둑이나 밭둑에 불을 붙이고 돌아다니며 노는 놀이에요.

5. 연날리기, 제기차기, 쥐불놀이 ⇨ (놀이) 운동 공놀이

5 외래어 표기 로봇

외래어는 외국에서 들어온 말로 우리말처럼 쓰이는 낱말이에요. 흔히 '인간과 비슷한 형태를 가지고 있는 기계 장치'를 가리켜 '로보트'라고 잘못 쓰는 경우가 있지만 '로봇'으로 쓰는 것이 올바른 표현이에요.

아버지께서 새로 나온 **로봇** 장난감을 사 주셨다.
로보트(×)

다음 문장에 알맞은 낱말을 찾아 ○표 하세요.

1. 나는 간식으로 (도넏 / 도넛)을 먹었다.
2. 새콤달콤한 오렌지 (주스 / 쥬스)가 마시고 싶다.
3. 우리 동네에 새로운 (커피숍 / 커피숖)이 생겼다.

도움말▲ 외래어를 표기할 때 받침으로는 'ㄱ, ㄴ, ㄹ, ㅁ, ㅂ, ㅅ, ㅇ'의 7개 자음만 써요.

4. 새로 만든 (로케트 / 로켓)을 성공적으로 발사했다.
5. 일요일에 엄마와 함께 (슈퍼마켓 / 슈퍼마켙)을 다녀왔다.
6. 이 장난감 (로보트 / 로봇)은 여러 모양으로 변신할 수 있다.

6 행동을 하게 하는 말 말리다

'물기가 없어지게 하다.'라는 뜻의 '말리다'는 '마르다'에 '~하게 하다'라는 뜻을 더한 표현이에요. 이와 같이 행동을 하게 하는 말은 기본적인 낱말에 '–이–', '–히–', '–리–', '–우–' 등의 말을 덧붙여 만들어요.

빨래가 **마르다.** → 빨래를 **말리다.**
물기가 없어지다. / ~하게 하다. 물기가 없어지게 하다.

도움말▲ 행동을 하게 하는 말은 낱말에 '–이–, –히–, –리–, –기–, –우–, –구–, –추–'를 덧붙여 만들어요.

주어진 뜻을 참고하여 문장에 어울리는 낱말을 찾아 ○표 하세요.

뜨다	물 위나 공중에 있거나 위쪽으로 솟아오르다.
띄우다	뜨게 하다.

1. 종이배가 물에 (뜨다 / 띄우다).
2. 강물 위에 배를 (뜨다 / 띄우다).

괴롭다	몸이나 마음이 편하지 않고 고통스럽다.
괴롭히다	괴롭게 하다.

3. 형이 나를 못살게 (괴롭다 / 괴롭히다).
4. 감기가 걸려서 몸이 (괴롭다 / 괴롭히다).

마르다	물기가 다 날아가서 없어지다.
말리다	마르게 하다.

5. 날이 맑아 빨래를 (마르다 / 말리다).
6. 소나기에 젖은 옷이 (마르다 / 말리다).

7 올바른 발음 물이[무리]

앞말의 받침 'ㄹ', 'ㅅ'이 뒷말의 'ㅣ', 'ㅓ'와 같은 모음과 만나면 [리], [러], [시], [서]와 같이 소리 나요.

뒷말의 'ㅣ'를 만나
물 + 이 → 물이[무리]
앞말의 받침 'ㄹ'이 / [리]로 소리 남.

도움말▲ 자음으로 끝나는 음절 뒤에 모음으로 시작하는 음절이 오면, 앞 음절의 끝소리인 자음이 뒤 음절 첫소리의 위치로 옮겨져서 발음이 돼요.

밑줄 친 낱말의 알맞은 발음을 찾아 ○표 하세요.

1. 계곡 물이 시원하다. ⇨ [무리] [물리]

도움말▼ '졸이다'는 [쪼리다]처럼 강하게 발음하지 않아요.

2. 고추를 간장에 넣고 졸이다. ⇨ [조리다] [쪼리다]
3. 새로 담근 김치 맛이 정말 좋다. ⇨ [마디] [마시]
4. 친구에게 선물로 받은 옷이 정말 예쁘다. ⇨ [오디] [오시]
5. 여러 가지 재료를 넣어 떡볶이를 만들어 놓다. ⇨ [만드러] [만들러]

8 형태가 변하는 말 곱다

'움직임을 나타내는 말'이나 '성질이나 상태를 나타내는 말'이 문장에서 모양이 바뀔 때, 그 낱말에 따라 모양이 불규칙하게 바뀌는 경우가 있어요.

도움말▲ '곱다'와 같이 모양이 불규칙하게 바뀌는 낱말로는 '눕다, 줍다' 따위가 더 있어요.

주어진 낱말의 알맞은 형태를 찾아 ○표 하세요.

1. 접다 — 종이비행기를 (접어서 / 접워서) 날렸다.
2. 덥다 — 날이 (덥어서 / 더워서) 아이스크림을 사 먹었다.
3. 잡다 — 물고기를 (잡아서 / 잡어서) 물통에 담아 두었다.
4. 돕다 — 몸이 불편한 친구를 (돕아 / 도와)주어서 칭찬을 받았다.
5. 곱다 — 우리 누나는 마음씨가 (고워서 / 고와서) 사람들이 좋아한다.

더 알아두기

'잡다'와 '접다' 따위의 낱말은 '잡아'와 '접어'처럼 'ㅂ'이 유지되면서 규칙적으로 모양이 바뀌지만 '곱다', '덥다' 따위의 낱말은 'ㅂ'이 '오'나 '우'로 변해 '고와', '더워'처럼 다른 모양으로 바뀌는 경우가 있어요.

9 헷갈리기 쉬운 말 안/않

뒤에 오는 말의 반대 뜻을 나타낼 때에는 '안'을 써요. 이에 반해 앞에 오는 말의 반대 뜻을 나타낼 때에는 '않'을 쓰지요.

나는 밥을 (안) 먹었다. — 뒤에 오는 말의 반대 뜻

나는 밥을 먹지 (않)았다. — 앞에 오는 말의 반대 뜻

도움말▲ '안'은 '아니'의 준말로 한 낱말이므로 뒤에 오는 말과 띄어 써야 해요.

다음 문장에 알맞은 낱말을 찾아 ○표 하세요.

1. 깜빡하고 감기약을 ((안) / 않) 먹었다.
2. 선생님께서 교무실에 ((안) / 않) 계셨다.
3. 나는 오늘 감기에 걸려서 학교에 ((안) / 않) 갔다.
4. 더 이상은 동생을 괴롭히지 (안기로 / (않기로)) 마음먹었다.
5. 다친 발이 아직 낫지 (안아서 / (않아서)) 축구를 할 수 없다.
6. 점심을 많이 먹었더니 저녁까지 배가 고프지 (안다 / (않다)).

더 알아두기

'안'은 '아니'의 준말이고 '않'은 '아니하-'의 준말이므로 '아니'가 들어갈 자리에는 '안'을 쓰고 '아니하-'가 들어갈 자리에는 '않'을 쓰면 돼요.

10 원고지 쓰기 들여쓰기

새로운 문단이 시작될 때에는 문단의 시작 부분을 한 칸 비워 두고 써야 해요. 이를 '들여쓰기'라고 하지요.

○	새	로	운		문	단	이		시	작	될		때	에	는		문	단	의
처	음		왼	쪽		글	머	리	에		한		칸	을		비	워		두
고		써	야		해	요	.												

도움말▲ 들여쓰기를 보면 문단을 쉽게 구별할 수 있어요.

6일 월 일

다음 문장을 들여쓰기를 하여 원고지에 써 보세요.

1. 이야기를 읽고 생각이나 느낌을 나눠요.

	이	야	기	를		읽	고		생	각
이	나		느	낌	을		나	눠	요.	

2. 감각적 표현의 재미를 느끼며 작품을 읽어요.

	감	각	적		표	현	의		재	미
를		느	끼	며		작	품	을		읽
어	요.									

3. 새로운 문단이 시작될 때에는 들여쓰기를 해야 해요.

	새	로	운		문	단	이		시	작
될		때	에	는		들	여	쓰	기	를
해	야		해	요.						

11 타교과 어휘 과학

빈칸에 알맞은 낱말을 [보기]에서 찾아 써 보세요.

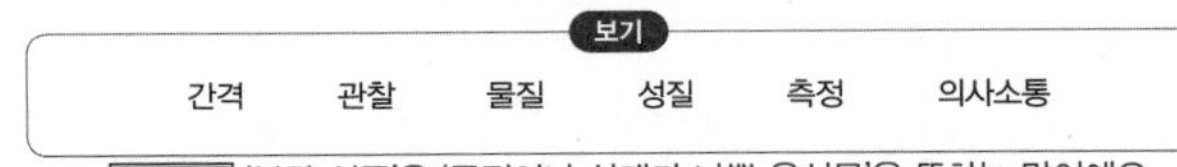
보기: 간격 관찰 물질 성질 측정 의사소통

도움말▼ '불량 식품'은 '품질이나 상태가 나쁜 음식물'을 뜻하는 말이에요.

1. 불량 식품에는 몸에 해로운 [물질]이 들어 있다.
   보고 만질 수 있거나 과학적으로 다룰 수 있는 것
2. 현미경으로 아주 작은 물체도 [관찰]이 가능하다.
   사물이나 현상을 주의하여 자세히 살펴봄.
3. 우리는 다양한 통신 수단으로 [의사소통]을 할 수 있다.
   서로 자기의 생각이나 뜻을 주고받는 것
4. 학생들이 일정하게 [간격]을 맞추어 운동장을 뛴다.
   거리나 시간이 벌어진 정도
5. 책상의 위치를 바꾸기 위해 책상의 길이를 [측정]해 보았다.
   일정한 양을 기준으로 하여 같은 종류의 다른 양의 크기를 잼.
6. 고무줄과 용수철은 잘 늘어난다는 점에서 비슷한 [성질]을 갖고 있다.
   사물이나 현상이 가지고 있는 고유의 특징

빈칸에 알맞은 낱말을 찾아 ○표 하고, 바르게 써 보세요.

1. 자연 현상을 [탐구하다]. ⇨ (탐구하다) 수고하다
   학문 따위를 파고들어 깊이 연구하다.
2. 나무는 물에 뜰 것이라고 [예상하다]. ⇨ (예상하다) 상상하다
   어떤 일을 직접 당하기 전에 미리 생각하여 두다.
3. 컴퓨터를 이용하여 제품을 [설계하다]. ⇨ 계산하다 (설계하다)
   건축, 기계 제작 따위에서 실제적인 계획을 세워 그림이나 설명 따위로 나타내다.

도움말▼ '가라앉다'와 뜻이 반대인 말은 '떠오르다'예요.

4. 금속 막대가 물에 뜨지 않고 [가라앉다]. ⇨ (가라앉다) 갈아앉다
   물 따위에 떠 있거나 섞여 있는 것이 밑바닥으로 내려앉다.
5. 친구가 낸 퀴즈의 정답을 바로 [알아맞히다]. ⇨ (알아맞히다) 알아맞추다
   알맞은 답을 알아서 맞게 하다.
6. 실험의 결과를 실험 보고서에 [명시하다]. ⇨ 시시하다 (명시하다)
   분명하게 드러내 보이다.

3장 알맞은 높임 표현

국어 교과서 86~107쪽

1 높임 표현 1 -요, -습니다

높임 표현에는 대상을 공경하는 마음이 담겨 있어요. '-요', '-습니다'를 말끝에 붙이면 높임의 뜻을 나타낼 수 있어요.

꽃이 참 예뻐. → (높임) 꽃이 참 예뻐요. / 꽃이 참 예쁩니다.

도움말▲ '-습니다'는 '-요'보다 더 격식을 차린 표현이에요.

다음 문장에 알맞은 말을 찾아 ○표 하세요.

1. 아버지, 오늘 저녁에 늦게 (와 / 오시나요)?
2. 할머니, 빨리 (보고 싶어 / 보고 싶어요).
3. 어머니, 새로 산 그릇이 정말 (예뻐 / 예뻐요).
4. 영수야, 지금 약속 장소로 가고 (있어 / 있어요).
5. 어머니, 친구들과 소풍을 (다녀왔어 / 다녀왔습니다).
6. 저는 마음껏 뛰어놀 수 있는 체육 시간을 (좋아해 / 좋아합니다).

2 높임 표현 2 께, 께서

높임의 대상 뒤에는 '이/가' 대신에 '께서'를, '에게' 대신에 '께'를 붙여 써야 해요.

친구가 온다. → 선생님께서 오신다. (높임의 대상 뒤에 붙음.)

친구에게 줄 편지 → 선생님께 드릴 편지 (높임의 대상 뒤에 붙음.)

다음 문장에 알맞은 낱말을 찾아 ○표를 하세요.

1. 선생님(이 / 께서) 너 오라고 하셔.
   도움말▲ '선생님께서 너 오시라고 하셔.'라는 표현은, 말하는 이가 '너'를 높이는 것이므로 잘못된 표현이에요.
2. 할머니(가 / 께서) 우리 집에 오셨다.
3. 이것은 동생(에게 / 께) 줄 선물이에요.
4. 도움말▼ '여쭈다'는 '웃어른께 말씀을 올리다.'라는 뜻이에요.
   아버지(에게 / 께) 여쭈어 볼 것이 있어요.
5. 어제 다툰 친구(에게 / 께) 사과의 말을 건넸다.
6. 어머니(가 / 께서) 아주머니께 이것을 가져다 드리래요.

3 높임 표현 3 진지

'진지'는 '밥'을 높여서 이르는 말이고, '생신'은 '생일'을 높여서 이르는 말이에요. 이처럼 상대방을 높일 때에 높임의 뜻을 가진 특별한 낱말을 사용하기도 해요.

너 밥 먹었니? / 할머니, 진지 드셨어요? ('밥'을 높이는 말)

다음 문장에 알맞은 낱말을 찾아 ○표 하세요.

1. 오늘 몇 (분 / 명)이 오십니까? — '사람'의 높임말
2. 도움말▼ '잡수시다'는 '먹다'의 높임말이에요.
   할아버지께서 (끼니 / 진지)를 잡수신다. — '밥'의 높임말
3. 선생님의 (명함 / 성함)은 어떻게 되시는지요? — '이름'의 높임말
4. 제가 할머니를 (데리시고 / 모시고) 가겠습니다. — '데리다'의 높임말
5. 어머니께서 요즘 많이 (편찮으시다 / 아프시다). — '아프다'의 높임말
6. 도움말▼ '증조할아버지'는 '아버지의 할아버지'를 이르는 말이에요.
   증조할아버지께서 작년에 (돌아가셨다 / 죽으셨다). — '죽다'의 높임말

4 꾸며 주는 말 갑자기

'갑자기'는 '미처 생각할 겨를도 없이 급히'라는 뜻의 낱말이에요. 다른 낱말이나 문장을 꾸며 주는 역할을 하지요.

갑자기 골목에서 사람이 튀어나왔다. (꾸며 줌.)

빈칸에 알맞은 낱말을 [보기]에서 찾아 써 보세요.

보기: 더욱 아직 특히 갑자기 오히려 저절로

1. 감기가 [저절로] 나았다. (다른 힘을 빌리지 아니하고 제 스스로)
2. 도움말▼ '아직'을 강조할 때에는 '아직껏'을 써요.
   동생은 [아직] 잠을 자고 있다. (끝나지 아니하고 계속되고 있음을 나타내는 말)
3. [갑자기] 소나기가 쏟아지기 시작했다. (미처 생각할 겨를도 없이 급히)
4. 나는 과일 중에서도 [특히] 딸기를 좋아한다. (보통과 다르게)
5. 아이들은 [더욱] 신이 나서 더 크게 떠들어 댔다. (정도나 수준이 더 높게)
6. 자기가 약속을 지키지 않았으면서 [오히려] 큰소리를 친다. (기대하는 것과 반대로)
   도움말▲ '도리어'는 '오히려'와 비슷한 뜻을 가진 말이에요.

5 뜻을 더하는 말 -거리다

'-거리다'는 다른 낱말의 뒤에 붙어 '그런 상태가 잇따라 계속됨.'의 뜻을 더하는 말이에요.

벌름 + -거리다: 자꾸 벌렸다 오므렸다 하다.
그런 상태가 잇따라 계속됨.

도움말▲ '-거리다'와 같은 뜻을 더하는 말로 '-대다'가 있어요.

밑줄 친 낱말에 알맞은 뜻을 찾아 연결하세요.

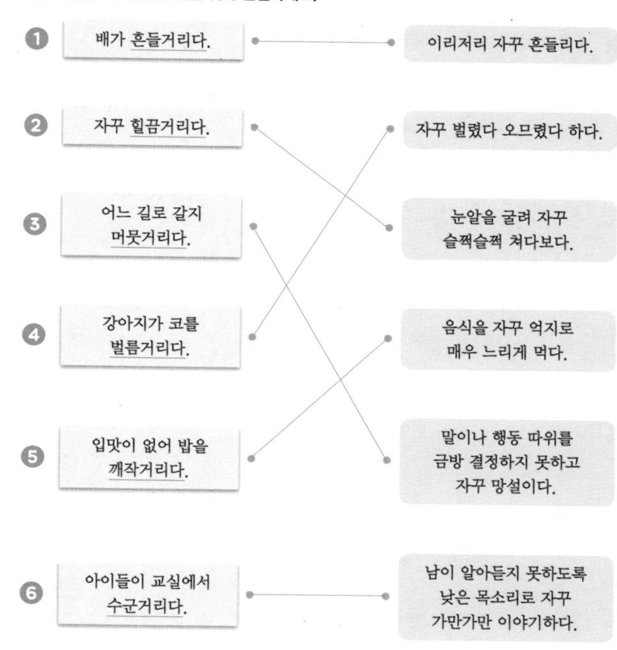

1. 배가 흔들거리다. — 이리저리 자꾸 흔들리다.
2. 자꾸 힐끔거리다. — 눈알을 굴려 자꾸 슬쩍슬쩍 쳐다보다.
3. 어느 길로 갈지 머뭇거리다. — 말이나 행동 따위를 금방 결정하지 못하고 자꾸 망설이다.
4. 강아지가 코를 벌름거리다. — 자꾸 벌렸다 오므렸다 하다.
5. 입맛이 없어 밥을 깨작거리다. — 음식을 자꾸 억지로 매우 느리게 먹다.
6. 아이들이 교실에서 수군거리다. — 남이 알아듣지 못하도록 낮은 목소리로 자꾸 가만가만 이야기하다.

6 모양을 흉내 내는 말 절레절레

'절레절레'는 '머리를 좌우로 흔드는 모양'을 흉내 내는 말이에요. 흉내 내는 말을 사용하면 실감 나고 재미있게 말할 수 있어요.

고개를 **절레절레** 젓다.
머리를 좌우로 흔드는 모양

빈칸에 알맞은 낱말을 [보기]에서 찾아 써 보세요.

보기: 버럭 후다닥 껑충껑충 꼬박꼬박 부들부들 절레절레

도움말▼ '껑충껑충'은 '겅중겅중'보다 센 느낌을 주는 말이에요.

1. 신이 나서 [껑충껑충] 뛰었다.
   긴 다리를 모으고 계속 힘 있게 솟구쳐 뛰는 모양
2. 할아버지가 [버럭] 화를 내셨다.
   화가 나서 갑자기 소리를 냅다 지르는 모양
3. 거절의 뜻으로 고개를 [절레절레] 저었다.
   머리를 좌우로 흔드는 모양
4. 화가 나서 입술을 깨물고 [부들부들] 떨었다.
   몸을 자꾸 크게 부르르 떠는 모양
5. 참새는 사람이 다가가자 [후다닥] 날아올랐다.
   갑자기 빠른 동작으로 뛰거나 몸을 움직이는 모양

도움말▼ '꼬박꼬박'보다 센 느낌을 주는 말은 '꼬빡꼬빡'이에요.

6. 나는 한 달에 한 번씩 할머니께 [꼬박꼬박] 편지를 쓴다.
   조금도 어김없이 고대로 계속하는 모양

7 줄여 쓰는 말 재밌다

낱말의 일부분이 줄어든 것을 '준말'이라고 해요. 줄어들기 이전의 낱말은 '본말'이라고 하지요.

참 **재미있다**. → 참 **재밌다**.
본말 준말

밑줄 친 낱말의 알맞은 본말을 찾아 ○표 하세요.

1. 이번 주 청소 당번은 저예요. ⇨ (이에요) / 이여요

도움말▼ '잡수다'는 '먹다'의 높임말이에요.

2. 따끈할 때, 이것 좀 잡숴 보세요. ⇨ (잡수어) / 잡수아
3. 네가 추천해 준 이 책은 정말 재밌다. ⇨ (재미있다) / 재미없다
4. 선생님께 출석부를 갖다 드리고 올게. ⇨ 가저다 / (가져다)
5. 내가 자리를 비운 새에 친구가 왔었다. ⇨ 서이 / (사이)

8 자주 쓰는 말 고개를 숙이다

'고개를 숙이다.'라는 말은 '머리를 아래로 향하게 하다.'라는 원래의 의미로도 쓰이지만, 다른 사람에게 항복하거나 겸손한 마음을 나타내는 말로도 쓰여요.

그는 **고개를 숙이며** 잘못을 사과했다.
사과 · 양보하는 마음으로 머리를 수그리며

밑줄 친 말에 알맞은 뜻을 찾아 연결하세요.

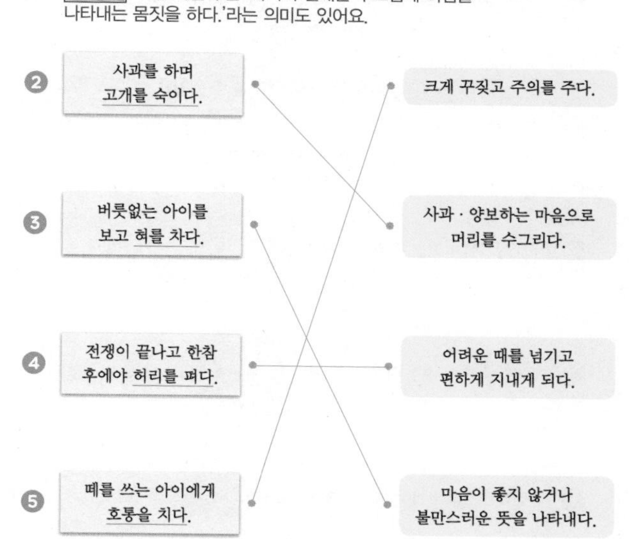

1. 동생에게 혀를 내밀다. — 남을 비웃다.

   도움말▲ '혀를 내밀다'는 '자기의 실패를 부끄럽게 여김을 나타내는 몸짓을 하다.'라는 의미도 있어요.
2. 사과를 하며 고개를 숙이다. — 사과 · 양보하는 마음으로 머리를 수그리다.
3. 버릇없는 아이를 보고 혀를 차다. — 마음이 좋지 않거나 불만스러운 뜻을 나타내다.
4. 전쟁이 끝나고 한참 후에야 허리를 펴다. — 어려운 때를 넘기고 편하게 지내게 되다.
5. 떼를 쓰는 아이에게 호통을 치다. — 크게 꾸짖고 주의를 주다.

9 문장 부호

글의 내용을 제대로 전달하기 위해 문장에 사용하는 부호들을 '문장 부호'라고 해요.

마침표(.): 문장을 끝내는 표시로 쓰는 문장 부호
물음표(?): 물음이나 의심을 나타내는 문장의 끝에 쓰는 문장 부호
느낌표(!): 강한 감탄의 느낌을 나타내기 위해 문장 끝에 쓰는 부호

도움말▲ '마침표'는 '온점'이라고도 해요.

다음 두 아이의 대화를 보고 빈칸에 알맞은 문장 부호를 써 보세요.

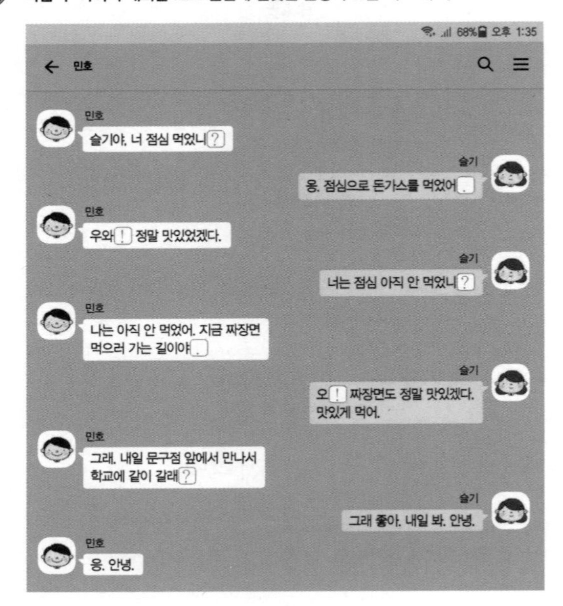

10 올바른 발음 않고[안코]

받침 'ㅎ'은 뒤에 오는 자음과 만나면 거센소리로 변해요. 'ㅎ'과 'ㄱ, ㄷ, ㅂ, ㅈ'가 만나면 각각 '[ㅋ], [ㅌ], [ㅍ], [ㅊ]'로 발음이 돼요.

않 + 고 → 않고[안코]
앞말의 받침 'ㅎ'이 / 뒤따르는 'ㄱ'을 만나 / [ㅋ]로 소리 남.

밑줄 친 낱말의 알맞은 발음을 찾아 ○표 하세요.

1. 아이의 엉덩이에 주사를 맞히다. → [맡히다] / (([마치다]))
2. 친구와 다투어 기분이 좋지 않다. → [안다] / (([안타]))
3. 가져 온 책은 거기에 놓고 가세요. → [놓코] / (([노코]))
4. 그는 몸을 굽혀 떨어뜨린 연필을 주었다. → [구벼] / (([구펴]))
5. 외출 준비를 하며 주머니에 지갑을 넣다. → (([너:타])) / [넏:따]
   도움말▲ ':' 표시는 길게 발음하라는 뜻이에요.
6. 기초를 쌓지 않으면 실력을 키울 수 없다. → (([싸치])) / [싸찌]

9일 ○월 ○일

11 타교과 어휘 도덕

빈칸에 알맞은 낱말을 [보기]에서 찾아 써 보세요.

보기: 믿음 배려 위로 정성 존중 마음가짐

1. 올바른 [마음가짐]을 가지도록 노력해야 한다.
   마음의 자세
2. 가까운 친구일수록 서로를 [존중]해야 한다.
   높이어 귀중하게 대함.

도움말▼ '정성'은 '성의'와 바꿔 쓸 수 있어요.

3. 나는 다리를 다친 경민이를 [정성]을 다해 도와주었다.
   온갖 힘을 다하려는 참되고 성실한 마음
4. 내가 경기에서 졌을 때 친구가 해 준 말이 [위로]가 되었다.
   따뜻한 말이나 행동으로 슬픔을 달래 줌.
5. 자리를 바꿔 준 유정이의 [배려] 덕분에 칠판을 잘 볼 수 있었다.
   도와주거나 보살펴 주려고 마음을 씀.
6. 수진이는 평소에 거짓말을 안 해서 수진이가 하는 말은 [믿음]이 간다.
   어떤 사실이나 사람을 믿는 마음

밑줄 친 낱말에 알맞은 뜻을 찾아 연결하세요.

1. 친구 사이에 우정을 잘 가꾸다. — 좋은 상태로 만들려고 보살피고 꾸려 가다.
   도움말▲ '가꾸다'는 '식물이 잘 자라도록 보살피다.'라는 뜻도 가지고 있어요.
2. 친구의 착한 마음씨를 본받다. — 본보기로 하여 그대로 따라하다.
3. 나와 영수의 우정은 매우 참되다. — 진실하고 올바르다.
4. 친구에게 고민을 모두 털어놓다. — 마음속에 품고 있는 사실을 숨김없이 말하다.
5. 전학 간 친구를 그리워하는 마음이 싹트다. — 어떤 생각이나 감정, 현상 따위가 처음 생겨나다.
6. 남의 말은 듣지 않고 자기 생각만 내세우다. — 의견 따위를 내놓고 주장하다.

9일 ○월 ○일

4장 내 마음을 편지에 담아

국어 교과서 108~133쪽

1 마음을 나타내는 말

우리는 상황에 따라 상대에게 그에 맞는 마음을 표현하고 있어요.
도움말▲ 마음을 표현할 때에는 상대방의 입장을 고려해야 해요.

다음 상황에 가장 어울리는 낱말을 [보기]에서 찾아 써 보세요.

보기: 감사 축하 사과 칭찬

① 
아이가 집안일을 도울 때
⇨ 칭찬

② 
이웃에게 음식을 받았을 때
⇨ 감사

③ 
친구의 생일잔치에 갔을 때
⇨ 축하

④ 
실수로 친구의 발을 밟았을 때
⇨ 사과

2 주제별 어휘 날

우리말에는 '날'을 나타내는 말이 있어요. '오늘'은 '지금 지나가고 있는 이날'을 의미해요.

빈칸에 알맞은 낱말을 [보기]에서 찾아 써 보세요.

보기: 글피 내일 모레 어제 그저께

그저께 ⇦ 어제 ⇦ 오늘
이틀 전인 날 / 하루 전날 / 지금 지나가고 있는 이날

⇨ 내일 ⇨ 모레 ⇨ 글피
다음 날 / 이틀 뒤에 오는 날 / 사흘 뒤에 오는 날

밑줄 친 부분을 한 낱말로 바꿔 빈칸에 써 보세요.

도움말▼ '그저께'와 같은 말로 '엊그제'와 '전전날'이 있어요.

① 어제의 전날인 [그저께]는 할머니의 생신이었다.

② 모레의 다음 날인 [글피]에 학교에서 소풍을 간다.

3 바꿔 쓸 수 있는 말 1 가게

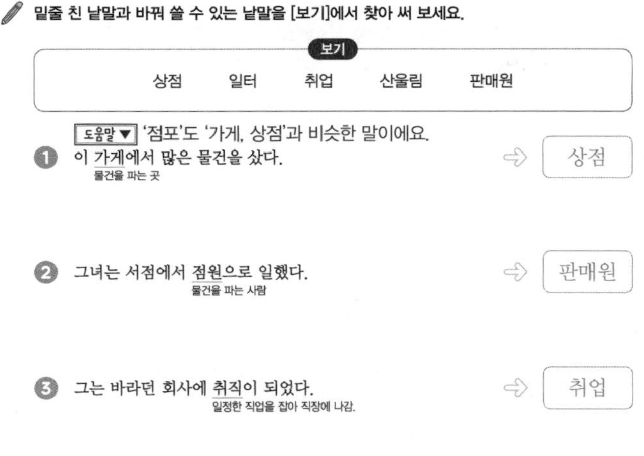

'가게'와 '상점'은 '물건을 파는 곳'을 가리키는 말로, 비슷한 뜻을 지니고 있어요. 이와 같이 뜻이 비슷한 낱말들은 서로 바꿔 쓸 수 있어요.

[가게 / 상점]에 물건을 사러 가다.
바꿔 쓸 수 있음.

밑줄 친 낱말과 바꿔 쓸 수 있는 낱말을 [보기]에서 찾아 써 보세요.

보기: 상점 일터 취업 산울림 판매원

도움말▼ '점포'도 '가게, 상점'과 비슷한 말이에요.
① 이 가게에서 많은 물건을 샀다. ⇨ 상점
물건을 파는 곳

② 그녀는 서점에서 점원으로 일했다. ⇨ 판매원
물건을 파는 사람

③ 그는 바라던 회사에 취직이 되었다. ⇨ 취업
일정한 직업을 잡아 직장에 나감.

④ 내일부터 새로운 직장에 출근을 한다. ⇨ 일터
직업을 가지고 일하는 곳

⑤ 메아리 소리에 노루가 놀라 날뛰었다. ⇨ 산울림
소리가 산이나 절벽에 부딪쳐 되울려오는 소리

4 바꿔 쓸 수 있는 말 2 감동하다

'감동하다'와 '감격하다'는 모두 '크게 느끼어 마음이 움직이다.'라는 뜻을 지니고 있어요.

사진 작품을 보고 [감동하다 / 감격하다].
바꿔 쓸 수 있음.

밑줄 친 낱말과 바꿔 쓸 수 있는 낱말을 [보기]에서 찾아 써 보세요.

보기: 뛰다 기쁘다 감격하다 격려하다 대단하다

① 진수는 축구에 대한 열정이 엄청나다. ⇨ 대단하다
생각보다 정도가 아주 심하다.

② 무서운 이야기를 듣고 가슴이 두근거리다. ⇨ 뛰다
몹시 놀라거나 불안하여 가슴이 자꾸 뛰다.

도움말▼ '북돋우다'의 준말은 '북돋다'예요.
③ 열심히 준비한 미술 대회를 앞둔 친구를 북돋우다. ⇨ 격려하다
기운이나 정신을 높여 주다.

④ 내가 좋아하는 친구와 보내는 시간은 정말 즐겁다. ⇨ 기쁘다
기분이 매우 좋다.

⑤ 주인공이 어려움을 이겨 내는 장면을 보고 감동하다. ⇨ 감격하다
크게 느끼어 마음이 움직이다.

5 띄어쓰기 만큼

'만큼'이 이름을 나타내는 말 뒤에서 앞말과 비슷한 정도임을 나타낼 때에는 앞말과 붙여 써요. 주로 '-ㄴ/-ㄹ'로 끝나는 말 뒤에서 앞에서 말한 정도임을 나타낼 때에는 앞말과 띄어 써요.

나도 너만큼 할 수 있어.
이름을 나타내는 말 뒤에서

주는 만큼 받다.
'-ㄴ/-ㄹ'로 끝나는 말 뒤에서

도움말▲ '뿐'도 '만큼', '대로'와 띄어쓰기 방법이 같아요.

주어진 내용을 보고, 띄어쓰기가 알맞은 것을 찾아 ○표 하세요.

만큼	앞말과 붙여 쓸 때	이름을 나타내는 말 뒤에서
	앞말과 띄어 쓸 때	'-ㄴ/-ㄹ'로 끝나는 말 뒤에서

1. 나도 (너만큼 / 너 만큼) 축구를 잘하고 싶어.
2. (노력한만큼 / 노력한 만큼) 좋은 결과가 나왔다.
3. 집 안은 숨소리가 (들릴만큼 / 들릴 만큼) 조용했다.

대로	앞말과 붙여 쓸 때	이름을 나타내는 말 뒤에서
	앞말과 띄어 쓸 때	'-ㄴ/-ㄹ'로 끝나는 말 뒤에서

4. 네가 직접 (본대로 / 본 대로) 이야기해 봐.
5. 작은 것은 작은 (것대로 / 것 대로) 모아 두었다.
6. (예상했던대로 / 예상했던 대로) 시험이 어려웠다.

6 뜻이 여러 가지인 말 같다

'같다'는 '서로 다르지 않다.'라는 뜻 외에도 '미루어 짐작하다.'라는 뜻으로 쓰여요.

나는 슬기와 혈액형이 같다.
서로 다르지 않다.

오늘은 날씨가 맑을 것 같다.
미루어 짐작하다.

11일 월 일

밑줄 친 낱말의 뜻을 [보기]에서 찾아 번호를 써 보세요.

보기

같다 ① 서로 다르지 않다.
② 미루어 짐작하다.

도움말▼ '같다'는 '무엇과 비슷한 종류에 속해 있음을 나타내는 말로도 쓰여요.

1. 나는 옆집에 사는 아이와 나이가 같다. → ①
2. 정수는 준수와 키가 다르지만 몸무게는 같다. → ①
3. 하늘을 보니 먹구름이 가득하여 비가 올 것 같다. → ②

보기

담다 ① 어떤 물건을 그릇 따위에 넣다.
② 어떤 내용이나 생각을 그림, 말, 표정 따위 속에 넣다.

4. 쌀을 쌀통에 가득 담다. → ①
5. 친구에게 줄 선물에 고마운 마음을 담다. → ②
6. 눈앞에 펼쳐진 아름다운 풍경을 그림에 담다. → ②

7 뜻을 더하는 말 잔-

'잔-'은 몇몇 낱말의 앞에 붙어 '가늘고 작은' 또는 '사소한' 등의 뜻을 더하는 말이에요.

뒷말에 뜻을 더함.
잔 + 풀 → 잔풀
작은 풀

뒷말에 뜻을 더함.
잔 + 가지 → 잔가지
작은 나뭇가지

주어진 뜻에 알맞은 낱말을 써 보세요.

1. 약고도 얕은 꾀 →

2. 매우 가늘고 짧은 털 →

3. 흔히 앓는 자질구레한 병 →

도움말▼ '손심부름'도 '잔심부름'과 비슷한 의미를 가지고 있어요.

4. 여러 가지 자질구레한 심부름 →

5. 쓸데없이 자질구레한 말을 늘어놓음. 또는 그 말 →

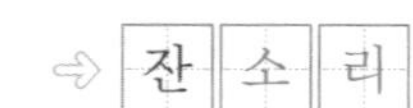

6. 머리에서 몇 오라기 빠져나온 짧고 가는 머리카락 →

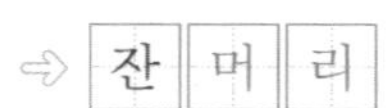

8 헷갈리기 쉬운 말 꽂다 / 꼽다

'꽂다'와 '꼽다'는 모양은 비슷하지만 전혀 다른 뜻을 가지고 있어요. '꽂다'는 '쓰러지거나 빠지지 아니하게 박아 세우거나 끼우다.'라는 뜻이고 '꼽다'는 '수나 날짜를 세려고 손가락을 하나씩 헤아리다.'라는 뜻이에요.

책꽂이에 책을 꽂다.
꼽다(×)

손가락을 꼽다.
꽂다(×)

11일 월 일

주어진 뜻을 참고하여 문장에 어울리는 낱말을 찾아 ○표 하세요.

꽂다	단단하게 박아 세우거나 끼우다.
꼽다	손가락을 접으며 하나씩 헤아리다.

1. 머리에 핀을 (꽂다 / 꼽다).
2. 예쁜 꽃을 꽃병에 (꽂다 / 꼽다).
3. 친구와의 약속이 며칠 남았는지 손가락을 (꽂다 / 꼽다).

도움말▼ '가르키다, 가리치다' 따위는 모두 올바르지 않은 낱말이에요.

가르치다	지식 따위를 알려 주다.
가리키다	손가락 따위로 어떤 방향이나 대상을 집어서 알리다.

4. 손가락으로 건너편을 (가르치다 / 가리키다).
5. 시곗바늘이 오후 세 시를 (가르치다 / 가리키다).
6. 우리 엄마는 주말마다 나에게 피아노를 (가르쳐 / 가리켜) 주신다.

9 문장 부호

큰따옴표와 작은따옴표는 원고지 한 칸의 끝에 쓰고, 말줄임표는 원고지 한 칸에 세 개씩 써요.

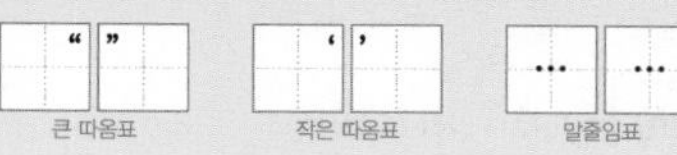

문장 부호에 주의하며 다음 원고지에 글을 따라 써 보세요.

1

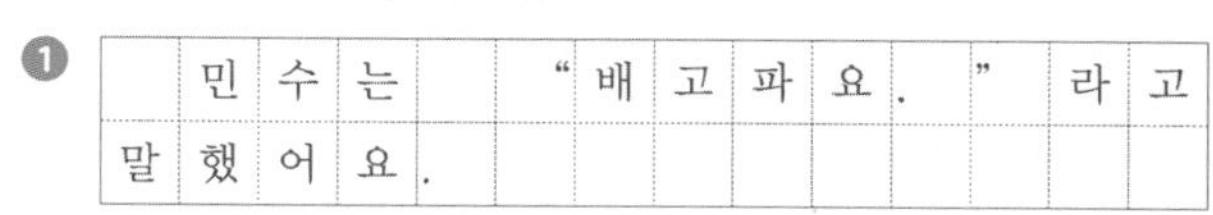

	민	수	는		“	배	고	파	요	.	”	라	고
말	했	어	요	.									

*큰따옴표는 직접 말한 내용을 그대로 전달할 때 써요.

2

	민	수	는		‘	배	고	프	다	.	’	라	고
생	각	했	어	요	.								

*작은따옴표는 마음속으로 한 말을 적을 때 써요.

도움말▼ 말줄임표는 가운뎃점을 6개 찍는 것이 원칙이지만 줄여서 3개만 쓸 수도 있어요.

3

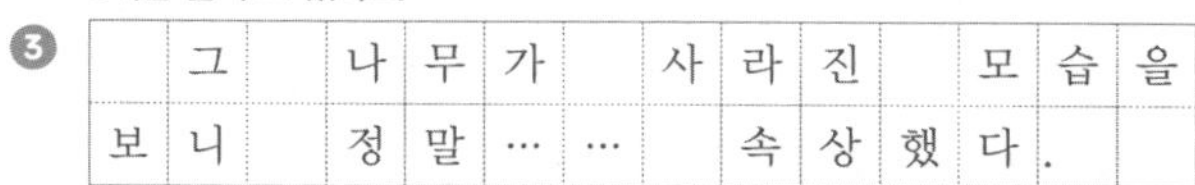

	그		나	무	가		사	라	진		모	습	을
보	니		정	말	…	…		속	상	했	다	.	

*말줄임표는 할 말을 줄였을 때나 말이 없음을 나타낼 때, 또는 문장이나 글의 일부를 생략할 때, 머뭇거림을 보일 때 써요.

10 행동을 당하는 말 뽑히다

우리말에는 스스로 움직이는 일을 나타내는 말과 남의 힘에 의하여 움직이는 일을 나타내는 말이 있어요. '뽑다'는 '박힌 것을 잡아당기어 빼내다.'라는 뜻이고, '뽑히다'는 '박힌 것이 잡아당기어 빠지다.'라는 뜻이에요.

나무를 **뽑다.** 빼냄.

나무가 **뽑히다.** 빠지게 됨.

다음 문장에 어울리는 낱말을 찾아 ○표 하세요.

1 신나는 음악을 (듣다 / 들리다).

도움말▲ '들리다'는 '듣다'의 행동을 당하는 말이기도 하지만, '들다'의 행동을 당하는 말이기도 해요.

2 어디선가 신나는 음악 소리가 (듣다 / 들리다).

3 강한 태풍에 풀이 (뽑다 / 뽑히다).

4 농부가 밭에서 풀을 (뽑다 / 뽑히다).

5 학생들을 운동장으로 (모으다 / 모이다).

6 운동장에 많은 학생이 (모으다 / 모이다).

7 담쟁이덩굴이 건물을 (뒤덮다 / 뒤덮이다).

8 건물이 담쟁이덩굴로 (뒤덮다 / 뒤덮이다).

11 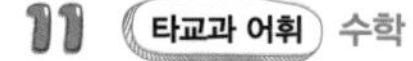 타교과 어휘 수학

빈칸에 알맞은 낱말을 [보기]에서 찾아 써 보세요.

보기: 량 편 톨 통 송이 조각

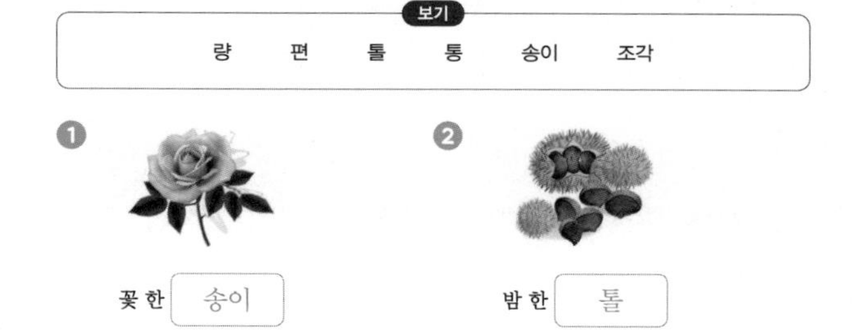

1 꽃 한 [송이]

2 밤 한 [톨]

3 

열차 한 [량]

4 

케이크 한 [조각]

5 

수박 한 [통]

6 

도움말▼ '편'은 '책'이나 시 따위를 셀 때에도 사용해요.

영화 한 [편]

그림을 참고하여 낱말에 알맞은 뜻을 찾아 연결하세요.

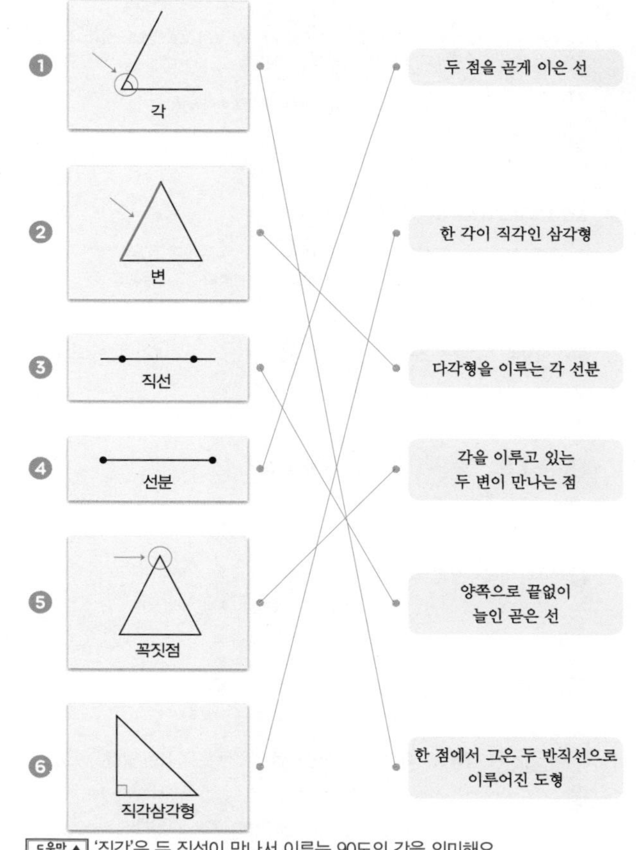

도움말▲ '직각'은 두 직선이 만나서 이루는 90도의 각을 의미해요.

5장 중요한 내용을 적어요

국어 교과서 134~159쪽

1 메모의 중요성

중요한 내용을 보거나 들을 때에는 간추려서 메모해 두는 것이 좋아요. 메모를 하면 듣고 보고 생각한 것을 다시 떠올리는 데 도움이 돼요.

도움말▲ 메모는 듣는 과정에서 주로 사용하는 간추리기 방법이에요.

밑줄 친 낱말에 알맞은 뜻을 찾아 연결하세요.

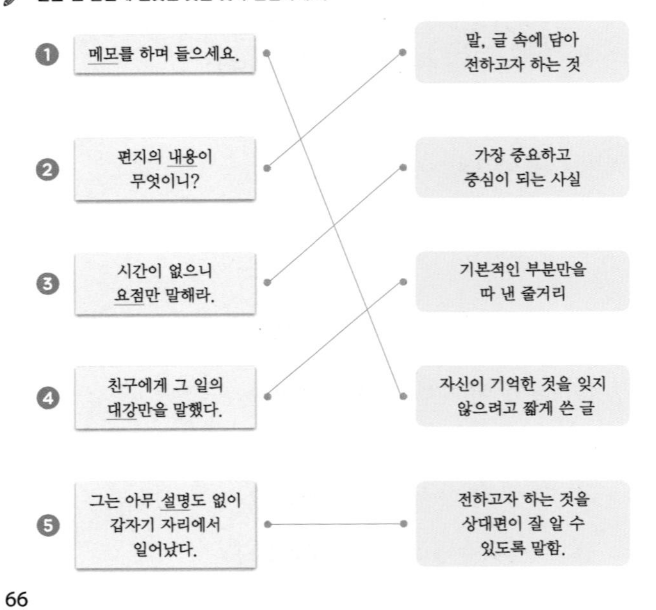

2 주제별 어휘 도서관

도서관에서는 여러 자료들을 모아 분류하고 정리하는 일을 해요. 사람들은 이렇게 정리한 자료들을 보기 위해 도서관을 찾지요.

13일 월 일

빈칸에 알맞은 낱말을 [보기]에서 찾아 써 보세요.

보기

검색 보존 분류 수집 정리

❶ 이 도서관은 책의 [보존] 상태가 좋다.
잘 보호하고 지키어 남김.

❷ 나의 취미는 요리책을 [수집]하는 것이다.
여러 가지 물건이나 재료를 찾아 모음.

도움말▼ '사서'는 '도서관에서 서적을 관리하는 일을 하는 사람'을 뜻하는 말이에요.

❸ 사서 선생님께 도서 [분류] 기준을 여쭤보았다.
종류에 따라서 가름.

❹ 자료를 쓰임별로 [정리]해 두니 이용하기 편리하다.
질서 있게 나누고 모음.

❺ 필요한 책을 찾기 위해 도서관에서 컴퓨터로 [검색]을 했다.
책이나 컴퓨터에서, 필요한 자료들을 찾아내는 일

3 꾸며 주는 말 분명히

'분명히'는 '모양이나 소리 따위가 똑똑하고 뚜렷하게'라는 뜻의 낱말이에요. 이런 낱말들은 뒤에 오는 말을 꾸며 주어 그 뜻을 자세하게 해 준답니다.

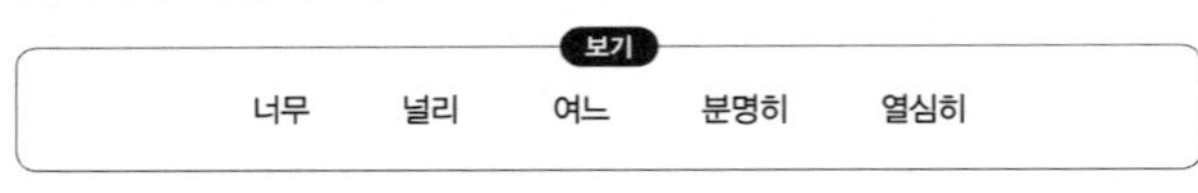

분명히 이 소리는 아빠의 전화벨 소리이다.
꾸며 줌.

빈칸에 알맞은 낱말을 [보기]에서 찾아 써 보세요.

보기

너무 널리 여느 분명히 열심히

❶ 이상한 소문이 학교에 [널리] 퍼졌다.
범위가 넓게

❷ 올 봄은 [여느] 봄보다 따뜻한 것 같다.
특별하지 않은 그 밖의

❸ 우리 집에서 삼촌 댁까지는 걸어가기에 [너무] 멀다.
일정한 정도를 훨씬 넘어선 상태로

❹ 키를 조금 더 키우기 위해 밤마다 [열심히] 줄넘기를 했다.
어떤 일에 온 정성을 다하여 골똘하게

도움말▼ '명백히', '확실히'도 '분명히'와 비슷한 뜻을 가진 낱말이에요.

❺ 저기 앞에 가는 사람은 옷차림으로 보아 [분명히] 우리 누나이다.
어떤 사실이 틀림이 없이 확실하게

4 줄여 쓰는 말 뒀다

모음과 모음이 만나면 하나의 모음으로 줄어들기도 해요. '두었다'는 'ㅜ'와 'ㅓ'가 'ㅝ'로 줄어서 '뒀다'로도 쓰여요.

'ㅓ'를 만나 'ㅝ'가 됨.
두었다 → 뒀다
'ㅜ'가

13일 월 일

밑줄 친 낱말의 알맞은 준말을 찾아 ○표 하세요.

❶ 이 종이를 두 장씩 나누어 갖자. ⇨ (나눠) 나너

도움말▼ '쑤다'는 '곡식의 알이나 가루를 물에 끓여 익히다.'라는 뜻이에요.

❷ 엄마가 저녁으로 호박죽을 쑤었다. ⇨ (쒔다) 썼다

❸ 안 쓰는 이불을 장롱에 넣어 두었다. ⇨ 덨다 (뒀다)

❹ 아빠와 함께 할아버지를 찾아뵈었다. ⇨ 찾아뵜다 (찾아뵀다)

❺ 어제 친구와 새로 나온 영화를 보았다. ⇨ 밨다 (봤다)

❻ 더이상 쓰지 않는 학용품을 동생에게 주었다. ⇨ 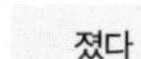 졌다 (줬다)

5 뜻을 더하는 말 맨-

'맨-'은 '다른 것이 없는'이라는 뜻을 더하는 말이에요.

뒷말에 뜻을 더함. 맨 + 밥 → 맨밥 (반찬이 없는 밥)

뒷말에 뜻을 더함. 맨 + 입 → 맨입 (아무것도 먹지 않은 입)

주어진 뜻에 알맞은 낱말을 써 보세요.

① 살이 드러난 다리 → 맨 다 리

② 아무것도 신지 아니한 발 → 맨 발

도움말▼ '맨손'은 아무것도 가지지 아니한 상태를 비유적으로 이르는 말이기도 해요.

③ 아무것도 끼지 아니한 손 → 맨 손

④ 아무것도 깔지 아니한 땅바닥 → 맨 바 닥

⑤ 아무것도 가지지 아니한 빈주먹 → 맨 주 먹

⑥ 안경이나 망원경 따위를 이용하지 아니하고 직접 보는 눈 → 맨 눈

6 형태가 변하는 말 담그다

'김치 · 젓갈 따위를 만드는 재료를 버무려, 익거나 삭도록 그릇에 넣어 두다.'의 뜻을 지닌 '담그다'는 '담가, 담가서'로 형태가 변해요. '담궈, 담궈서'로 잘못 쓰지 않도록 주의해야 해요.

김치를 담가 먹는다. (담궈(×))

도움말▲ 기본형이 '담구다'가 아니기 때문에 '담궈, 담궈서' 등으로 쓸 수 없다는 것을 이해해야 해요.

낱말의 형태를 알맞게 바꾼 것을 찾아 ○표 하세요.

담그다 김치 · 젓갈 따위를 만드는 재료를 버무려, 익거나 삭도록 그릇에 넣어 두다.

도움말▲ '담그다'는 '액체 속에 넣다.'라는 뜻도 있어요.

① 겨울에 ((담근) / 담군) 매실청을 물에 타 마셨다.

② 이 된장은 할머니가 직접 ((담가) / 담궈) 주신 것이다.

③ 엄마께서 겨울 내내 먹을 김치를 ((담갔다) / 담궜다).

잠그다 문 따위를 열지 못하도록 자물쇠나 고리로 채우다.

④ 대문을 잘 ((잠갔는지) / 잠궜는지) 확인을 해 봐.

⑤ 나는 자물쇠로 책상 서랍을 ((잠가) / 잠궈) 두었다.

⑥ 운동장에 나갈 때는 교실 문을 ((잠가라) / 잠궈라).

7 뜻이 반대인 말 편리하다/불편하다

'편리하다'와 '불편하다'는 서로 반대되는 뜻을 가지고 있어요. '편리하다'가 '어떤 것을 이용하기 편하다.'라는 뜻이라면, '불편하다'는 '편리하지 않다.'라는 뜻으로 쓰이지요.

교통이 편리하다. (이용하기 편하다.) ↔ 교통이 불편하다. (편리하지 않다.)

밑줄 친 낱말과 뜻이 반대인 낱말을 찾아 연결하세요.

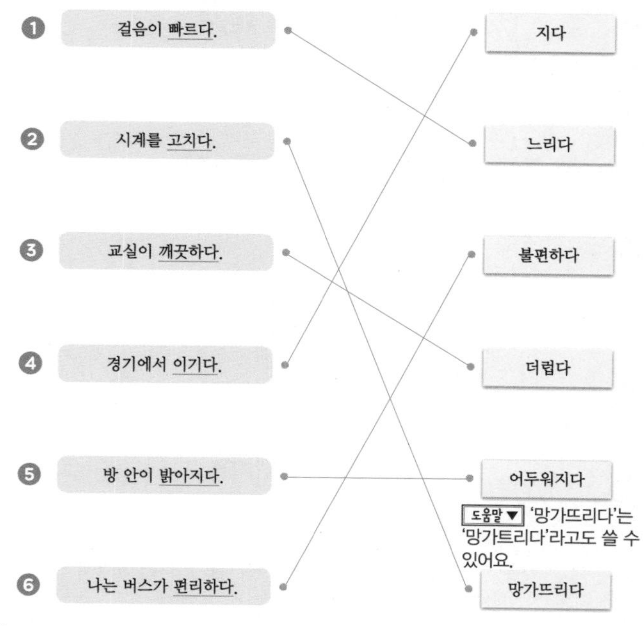

① 걸음이 빠르다.
② 시계를 고치다.
③ 교실이 깨끗하다.
④ 경기에서 이기다.
⑤ 방 안이 밝아지다.
⑥ 나는 버스가 편리하다.
지다
느리다
불편하다
더럽다
어두워지다
도움말▼ '망가뜨리다'는 '망가트리다'라고도 쓸 수 있어요.
망가뜨리다

8 포함하는 말 악기

악기는 연주 형태에 따라 타악기, 관악기, 현악기 따위로 나눌 수 있어요.

타악기	관악기	현악기

두드려서 소리 내는 악기	입으로 불어서 소리 내는 악기	줄을 켜거나 타서 소리 내는 악기

도움말▲ 관악기와 현악기를 아울러 '관현악기'라고 해요.

빈칸에 알맞은 낱말을 [보기]에서 찾아 써 보세요.

보기: 단소 가야금 작은북 타악기 현악기

- 악기
  - 타악기: 큰북, 드럼, 작은북
  - 관악기: 단소, 리코더, 트럼펫
  - 현악기: 가야금, 바이올린, 첼로

9 바꿔 쓸 수 있는 말 꽃집

'꽃집'과 '화원'은 모두 '꽃을 파는 가게'라는 뜻을 지니고 있어요. 따라서 이 두 낱말은 서로 바꿔 쓸 수 있어요.

[꽃집 / 화원]에서 꽃다발을 샀다.
바꿔 쓸 수 있음.

✏ 사다리를 따라 각 낱말과 바꿔 쓸 수 있는 낱말을 확인해 보고 따라 써 보세요.

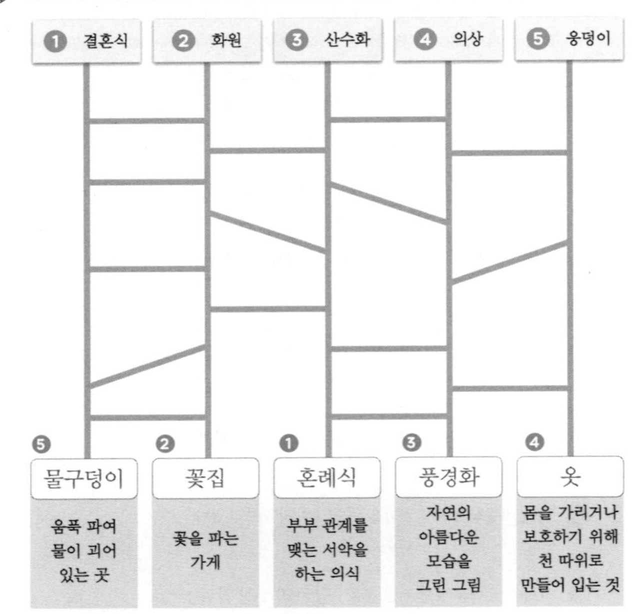

⑤ 물구덩이	② 꽃집	① 혼례식	③ 풍경화	④ 옷
움푹 파여 물이 괴어 있는 곳	꽃을 파는 가게	부부 관계를 맺는 서약을 하는 의식	자연의 아름다운 모습을 그린 그림	몸을 가리거나 보호하기 위해 천 따위로 만들어 입는 것

도움말▲ '물구덩이'는 '물웅덩이'로도 바꿔 쓸 수 있어요.

10 올바른 발음 넓지[널찌], 밟다[밥:따]

'넓지, 얇게, 여덟, 엷고, 짧고' 등의 겹받침 'ㄼ'은 [ㄹ]로 소리 내야 해요. 예외로 '밟다, 밟고'의 'ㄼ'은 [ㅂ]으로 소리 내야 해요. '넓지'는 [널찌], '밟다'는 [밥:따]가 올바른 발음이지요.

✏ 밑줄 친 낱말의 알맞은 발음을 찾아 ○표 하세요.

1. 내 동생은 이제 여덟 살이다. ⇨ ([여덜]) [여덥]
2. 실수로 옆 사람의 발을 밟다. ⇨ [발:따] ([밥:따])
3. 교실은 좁지만 운동장은 넓다. ⇨ ([널따]) [넙따]
4. 도움말▼ '엷다'는 '두께가 적다.'라는 뜻이에요.
   옷을 엷게 입어서 너무 추웠다. ⇨ ([열:께]) [엽:께]
5. 밀가루 반죽을 얇게 밀어야 한다. ⇨ ([얄:께]) [얍:께]
6. 새로 페인트칠한 곳을 밟고 말았다. ⇨ [발:꼬] ([밥:꼬])
7. 이 바지는 언니에게는 짧고 나에게는 길다. ⇨ ([짤꼬]) [짭꼬]

11 타교과 어휘 사회

✏ 빈칸에 알맞은 낱말을 찾아 ○표 하고, 바르게 써 보세요.

1. 이 행사의 [유래]를 찾아보았다. ⇨ (유래) 모래
   사물이나 일이 생겨남. 또는 그 사물이나 일이 생겨난 바
2. [빙고]에 얼음을 저장해 두었다. ⇨ (빙고) 금고
   얼음을 넣어 두는 창고
3. 할머니는 항상 [고향]을 그리워하신다. ⇨ 고양 (고향)
   자기가 태어나서 자란 곳
4. 나는 [지명]을 표시한 지도를 살펴보았다. ⇨ 이명 (지명)
   마을이나 지방, 지역 등의 이름
5. 도움말▼ '국보' 다음으로 중요한 문화재는 '보물'이라고 해요.
   이 탑은 우리나라 [국보]로 지정되어 있다. ⇨ (국보) 국사
   나라에서 법으로 정해 보호하는 문화재
6. 세종 대왕의 [업적] 중 하나는 한글을 만든 것이다. ⇨ (업적) 고생
   어떤 사업이나 연구 따위에서 노력하여 세운 일의 결과

✏ 빈칸에 알맞은 낱말을 [보기]에서 찾아 써 보세요.

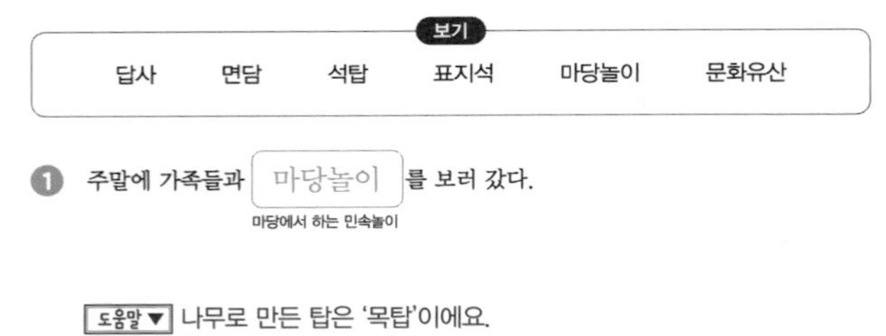

보기
답사 면담 석탑 표지석 마당놀이 문화유산

1. 주말에 가족들과 [마당놀이]를 보러 갔다.
   마당에서 하는 민속놀이
2. 도움말▼ 나무로 만든 탑은 '목탑'이에요.
   [석탑]을 가까이에서 보니 더욱 멋있었다.
   돌로 쌓은 탑
3. 경주로 [답사]를 다녀와서 보고서를 작성했다.
   현장에 가서 직접 보고 조사함.
4. 우리의 [문화유산]에는 조상들의 숨결이 담겨 있다.
   문화재 중에서 다음 세대에게 전해줄 만한 가치가 있는 것
5. 문화재에 대해 잘 알고 계신 분께 [면담]을 요청했다.
   서로 만나서 이야기 함.
6. 나는 [표지석]을 통해 이곳이 무엇을 하는 곳인지 알 수 있었다.
   어떤 사물을 다른 것과 구별하기 위하여 그 앞에 세운 돌

6장 일이 일어난 까닭

국어 교과서 168~185쪽

1 원인과 결과

일상생활에서 일어나는 일이나 사건에는 '원인'과 '결과'가 있어요. 어떤 일에 대해 원인과 결과를 생각하며 말하거나 들으면 좀 더 분명하고 쉽게 표현하고 이해할 수 있어요.

길에서 넘어져서(원인) 다리를 다쳤다(결과).

도움말▲ 어떤 일의 결과는 다른 일의 원인이 될 수도 있어요.
예 다리를 다쳐서(원인) 병원에 갔다(결과).

주어진 낱말에 알맞은 뜻을 찾아 연결하세요.

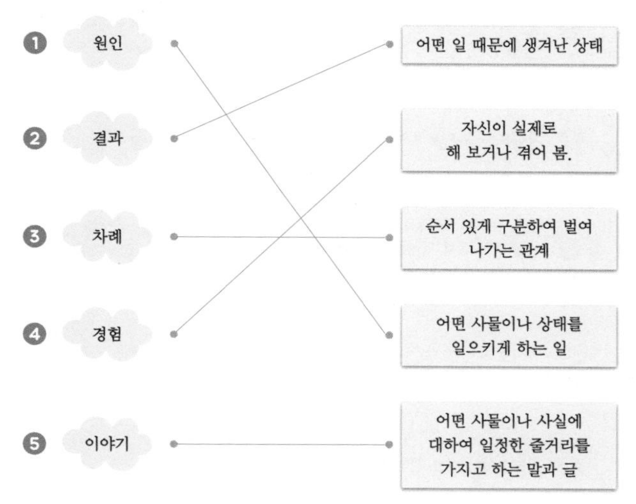

1. 원인 — 어떤 사물이나 상태를 일으키게 하는 일
2. 결과 — 어떤 일 때문에 생겨난 상태
3. 차례 — 순서 있게 구분하여 벌여 나가는 관계
4. 경험 — 자신이 실제로 해 보거나 겪어 봄.
5. 이야기 — 어떤 사물이나 사실에 대하여 일정한 줄거리를 가지고 하는 말과 글

2 이어 주는 말 그래서

'이어 주는 말'은 문장과 문장을 나란히 이어서 쓸 때 각각의 내용이 자연스럽게 이어질 수 있도록 해 주는 말이에요. 두 문장이 어떻게 이어지느냐에 따라 이어 주는 말을 달리 써야 해요.

나는 아이스크림을 많이 먹었다.(배탈이 난 원인) **그래서** 배탈이 났다.(아이스크림을 많이 먹은 결과)

도움말▲ 이어 주는 말을 눈여겨보면 글에서 문장의 연결 관계를 쉽게 이해할 수 있어요.

빈칸에 알맞은 낱말을 [보기]에서 찾아 써 보세요.

보기: 그리고 하지만 왜냐하면

1. 나는 배탈이 났다. [왜냐하면] 밥을 많이 먹었기 때문이다.
   왜 그러냐 하면
2. 나는 늦잠을 잤다. [하지만] 학교에 지각을 하지 않았다.
   내용이 서로 반대인 두 개의 문장을 이어 줄 때 쓰는 말
3. 수지는 노래를 잘 부른다. [그리고] 수지는 춤도 잘 춘다.
   앞의 내용에 이어 뒤의 내용을 단순히 나열할 때 쓰는 말

비슷한 뜻을 가진 낱말끼리 나눠 써 보세요.

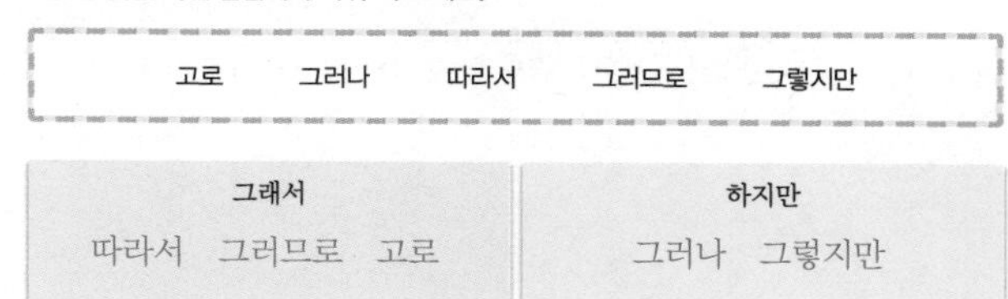

고로 그러나 따라서 그러므로 그렇지만

그래서	하지만
따라서 그러므로 고로	그러나 그렇지만

16일 월 일

3 가리키는 말 이, 그, 저

'이, 그, 저'는 무엇인가를 가리킬 때 쓰는 말이에요. 누구에게 가까운 것을 가리키느냐에 따라 가리키는 말이 달라져요.

이 책은 내 책이다. (말하는 이와 가까울 때)
그 책은 은지의 책이다. (듣는 이에게 가까울 때)
저 책은 누구의 것이니? (말하는 이와 듣는 이로부터 멀 때)

도움말▲ '이, 그, 저'는 하나의 낱말이므로 뒤에 오는 말과 띄어 써야 해요.

다음 빈칸에 '이', '그', '저' 중에서 알맞은 낱말을 써 보세요.

1. 
   → [그] 책 재미있니?
2. 
   → [이] 사과가 정말 맛있다.
3. 
   → [저] 학교가 내가 다니는 학교야.

4 성질을 바꾸는 말 -ㅁ, -음

낱말의 뒷부분에 '-음'이나, '-ㅁ'이 덧붙으면 움직임이나 상태를 나타내는 말이 이름을 나타내는 말로 성질이 바뀌어요.

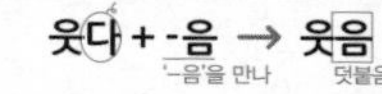

웃다 + -음 → 웃음 ('-음'을 만나 덧붙음.)
기쁘다 + -ㅁ → 기쁨 ('-ㅁ'을 만나 덧붙음.)

다음 낱말을 이름을 나타내는 말로 바꾸려고 해요. 빈칸을 채워 낱말을 완성하세요.

1. 웃 + 다 (기쁘거나 우스울 때 얼굴을 활짝 펴거나 소리를 내다.) → 웃음 (웃는 일. 또는 그런 소리나 표정)

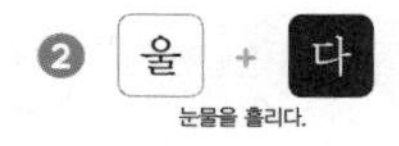

2. 울 + 다 (눈물을 흘리다.) → 울음 (눈물을 흘리는 일 또는 그런 소리)

3. 좋 + 다 (저절로 잠이 들다.) → 졸음 (잠이 오는 느낌이나 상태)

도움말▼ '얼음이 얼다.'에서 '얼음'은 이름을 나타내는 말이고, '얼다'는 움직임을 나타내는 말이에요.

4. 얼 + 다 (물기가 있는 물체가 차갑게 굳어지다.) → 얼음 (물이 얼어서 굳어진 물질)

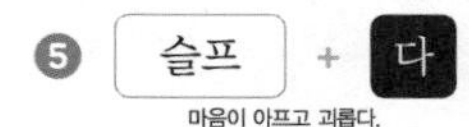

5. 슬프 + 다 (마음이 아프고 괴롭다.) → 슬픔 (마음이 아프고 괴로운 느낌)

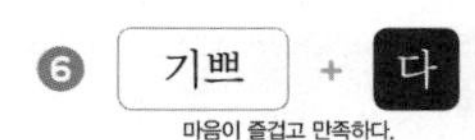

6. 기쁘 + 다 (마음이 즐겁고 만족하다.) → 기쁨 (만족한 마음이나 느낌)

16일 월 일

5 속담 아니 땐 굴뚝에 연기 날까.

'속담'은 예로부터 전해지는 조상들의 지혜가 담긴 표현으로, 속담을 사용하면 말하고자 하는 바를 효과적으로 전달할 수 있어요.

- **아니 땐 굴뚝에 연기 날까.**
  원인이 없으면 결과가 있을 수 없음을 빗댄 속담
- **콩 심은 데 콩 나고 팥 심은 데 팥 난다.**
  원인에 따라 그에 걸맞은 결과가 생긴다는 것을 빗댄 속담

㉠~㉤ 중에서, 아래 색깔 박스에 주어진 속담과 뜻이 비슷한 것을 찾아 그 기호를 써 보세요.

㉠ 아니 때린 장구 북소리 날까.

㉡ 오이 덩굴에 오이 열리고 가지 나무에 가지 열린다.

㉢ 배나무에 배 열리지 감 안 열린다.

㉣ 오이씨에서 오이 나오고 콩에서 콩 나온다.

㉤ 뿌리 없는 나무에 잎이 필까.

도움말▼ '콩 심은 데 콩 나고 팥 심은 데 팥 난다.'와 비슷한 속담으로 '대나무에서 대 난다.', '가시나무에 가시가 난다.' 따위가 더 있어요.

아니 땐 굴뚝에 연기 날까.	콩 심은 데 콩 나고 팥 심은 데 팥 난다.
㉠, ㉤	㉡, ㉢, ㉣

6 뜻을 더하는 말 -질

'-질'은 '그 도구를 가지고 하는 일', '신체 부위를 이용한 어떤 행동' 따위의 뜻을 더하는 말이에요.

가위 + 질 → 가위질 (앞말에 뜻을 더함.)

곁눈 + 질 → 곁눈질 (앞말에 뜻을 더함.)

주어진 뜻에 알맞은 낱말을 써 보세요.

1. 곁눈으로 보는 일 ⇨ 곁눈질
   얼굴은 돌리지 않고 눈알만 옆으로 굴려서 보는 눈

도움말▼ '손가락질'은 '얕보거나 흉보는 짓'을 가리키는 말로도 쓰여요.

2. 손가락으로 가리키는 일 ⇨ 손가락질
3. 가위로 자르거나 오리는 일 ⇨ 가위질
4. 이를 닦고 물로 입 안을 가시는 일 ⇨ 양치질
5. 망치로 무엇을 두드리거나 박는 일 ⇨ 망치질
6. 더러움이나 때를 걸레로 닦거나 훔치는 일 ⇨ 걸레질

7 형태가 변하는 말 벗다, 잇다

'움직임을 나타내는 말'이나 '성질이나 상태를 나타내는 말'이 문장에서 모양이 바뀔 때, 그 낱말에 따라 모양이 불규칙하게 바뀌는 경우가 있어요.

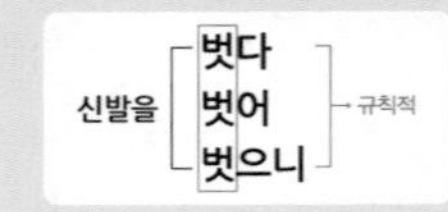

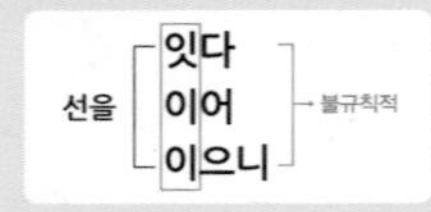

주어진 낱말의 모양을 알맞게 바꾼 것을 찾아 ○표 하세요.

1. 젓다 — 민수는 팔을 힘차게 ((저으며) / 젓으며) 씩씩하게 걸었다.
2. 붓다 — 찌개가 너무 짜니 물을 더 ((부어서) / 붓어서) 끓여야겠다.
3. 씻다 — 나는 컵을 깨끗하게 ((씻어) / 씨서) 선반 위에 올려놓았다.
4. 웃다 — 오빠는 텔레비전을 보면서 깔깔거리며 ((웃어) / 우서) 댔다.
5. 낫다 — 이제 감기가 다 ((나아서) / 낫아서) 약을 먹지 않아도 된다.

더 알아두기

'벗다'는 'ㅅ'이 유지되면서 '벗어', '벗으니'처럼 규칙적으로 모양이 바뀌지만, '잇다'는 'ㅅ'이 탈락하여 '이어', '이으니'처럼 다른 모양으로 바뀌는 경우가 있어요.

8 합쳐진 말 겨울밤

'겨울날의 긴 밤'을 뜻하는 낱말 '겨울밤'은 '겨울'과 '밤'이라는 두 낱말이 합쳐져서 만들어진 말이에요.

겨울 + 밤 → 겨울밤 (낱말과 낱말이 만나 새로운 낱말이 됨.)

글자 카드를 왼쪽에서 하나, 오른쪽에서 하나씩 꺼내 빈칸에 알맞은 낱말을 써 보세요.

1. 바늘 도둑이 소도둑 된다.
   소를 훔치는 짓. 또는 그런 짓을 한 도둑

도움말▼ '바늘 도둑이 소도둑 된다.'는 속담은 자그마한 나쁜 일도 자꾸 해서 버릇이 되면 나중에는 큰 죄를 저지르게 된다는 말이에요.

2. 그는 사람들을 피해 산속으로 들어갔다.
   산의 속
3. 옆집에 사는 친구가 음식을 들고 우리 집에 찾아왔다.
   옆에 있는 집

도움말▼ 봄밤, 여름밤, 가을밤도 한 낱말이에요.

4. 겨울밤의 추위를 견뎌 내기에는 입고 있는 옷이 얇았다.
   겨울날의 긴 밤
5. 이웃 주민들은 서로 잘잘못을 따지면서 말싸움을 시작했다.
   말로 옳고 그름을 가리는 다툼

9 올바른 발음 쌓아[싸아]

받침 'ㅎ'이 발음이 되지 않는 경우가 있어요. '쌓다'가 '쌓아'로 바뀔 때 [싸아], '놓다'가 '놓아서'로 바뀔 때 [노아서]로 발음이 돼요.

장작을 쌓아[싸아] 놓다.
'ㅎ'이 발음 안 됨.

도움말▲ '끓이다', '많아서'처럼 겹받침에 'ㅎ'이 들어 있는 낱말도 발음할 때 'ㅎ'이 소리 나지 않아요. 따라서 '끓이다'는 [끄리다]로, '많아서'는 [마나서]로 발음해요.

밑줄 친 낱말의 알맞은 발음을 찾아 ○표 하세요.

1. 눈이 길가에 쌓이고 있다. ⇨ ([싸이고]) [싸히고]
2. 저기에 상자들을 쌓아 두었다. ⇨ [싸하] ([싸아])
3. 편지들은 서랍에 넣어서 보관했다. ⇨ ([너어서]) [너허서]
4. 기분이 좋아서 웃음이 절로 나온다. ⇨ [조하서] ([조아서])
5. 잡은 물고기를 다시 강물에 놓아 주었다. ⇨ [노하] ([노아])
6. 아이에게 주사를 놓으려고 하자 아이는 엉엉 울기 시작했다. ⇨ ([노으려고]) [노흐려고]

10 줄여 쓰는 말 얘, 쟤, 걔

준말은 본래의 말보다 간략하게 줄어든 말이에요. '얘'는 '이 아이', '쟤'는 '저 아이', '걔'는 '그 아이'의 준말이지요.

이 애가 우리 대장이다. (= 얘) / 저 애가 그랬니? (= 쟤) / 그 애는 우리보다 용감하다. (= 걔)

도움말▼ '이 애, 저 애, 그 애'에서 '이, 그, 저'는 대상을 가리키는 말이에요.

이	말하는 이에게 가까이 있거나 말하는 이가 생각하고 있는 대상을 가리킬 때 쓰는 말
그	듣는 이에게 가까이 있거나 듣는 이가 생각하고 있는 대상을 가리킬 때 쓰는 말
저	말하는 이와 듣는 이로부터 멀리 있는 대상을 가리킬 때 쓰는 말

문장에 알맞은 낱말을 찾아 ○표 하세요.

1. (애 / (얘))가 제 짝꿍이에요.
2. (개 / (걔))랑은 옆집에 살았어요.
3. (재 / (쟤))는 잘 모르는 아이예요.

다음 밑줄 친 말의 준말을 바르게 써 보세요.

1. 저 애는 이름이 뭐니? ⇨ 쟤
2. 저는 그 애를 잘 몰라요. ⇨ 걔
3. 이 애가 저와 제일 친한 친구예요. ⇨ 얘

11 타교과 어휘 과학

밑줄 친 낱말에 알맞은 뜻을 찾아 연결하세요.

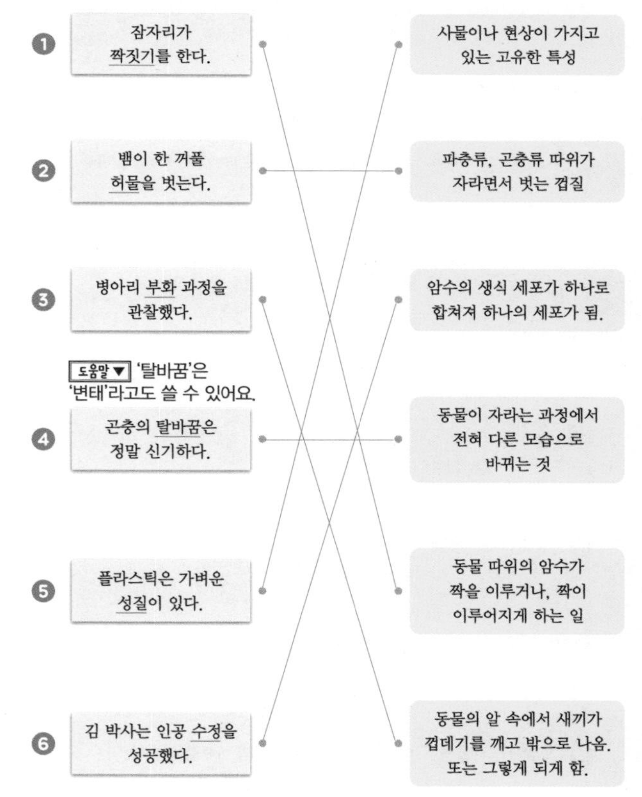

1. 잠자리가 짝짓기를 한다. — 동물 따위의 암수가 짝을 이루거나, 짝이 이루어지게 하는 일
2. 뱀이 한 꺼풀 허물을 벗는다. — 파충류, 곤충류 따위가 자라면서 벗는 껍질
3. 병아리 부화 과정을 관찰했다. — 동물의 알 속에서 새끼가 껍데기를 깨고 밖으로 나옴. 또는 그렇게 되게 함.
4. 곤충의 탈바꿈은 정말 신기하다. — 동물이 자라는 과정에서 전혀 다른 모습으로 바뀌는 것
5. 플라스틱은 가벼운 성질이 있다. — 사물이나 현상이 가지고 있는 고유한 특성
6. 김 박사는 인공 수정을 성공했다. — 암수의 생식 세포가 하나로 합쳐져 하나의 세포가 됨.

도움말▼ '탈바꿈'은 '변태'라고도 쓸 수 있어요.

빈칸에 알맞은 낱말을 [보기]에서 찾아 써 보세요.

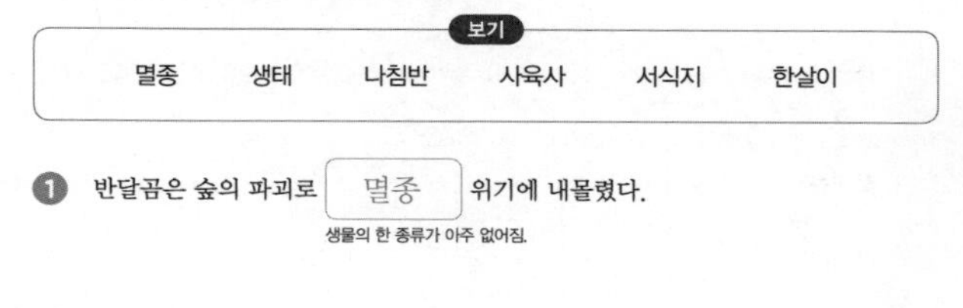

보기: 멸종 생태 나침반 사육사 서식지 한살이

1. 반달곰은 숲의 파괴로 [멸종] 위기에 내몰렸다.
   생물의 한 종류가 아주 없어짐.
2. [사육사]가 동물원에서 새끼 호랑이를 돌보고 있다.
   동물원에서 동물을 기르거나 훈련시키는 일을 직업으로 하는 사람
3. 지도를 펼치고 그 위에 [나침반]을 놓아 길을 찾았다.
   바늘이 움직이면서 동, 서, 남, 북 방향을 알려 주는 기구

   도움말▼ '나침반'은 '나침판'이라고도 써요.
4. 환경 오염이 동식물의 [생태]에 미치는 영향이 크다.
   생물이 살아가는 모양이나 상태
5. 두루미의 [서식지]를 보호하기 위해 감시반이 만들어졌다.
   생물 따위가 일정한 곳에 자리를 잡고 사는 곳
6. 배추흰나비 알을 기르면서 동물의 [한살이]를 관찰해 보았다.
   곤충이나 동물의 일생

7장 반갑다, 국어사전

국어 교과서 186~211쪽

1 국어사전

'국어사전'은 우리말의 낱말들을 모아 낱말들의 발음, 뜻, 쓰임 따위를 풀어서 설명한 책이에요. 낱말을 정확히 익히고 싶다면 국어사전에서 찾아보는 것이 좋아요.

주어진 뜻에 알맞은 낱말을 [보기]에서 찾아 써 보세요.

보기

기호 약호 기본형 맞춤법 국어사전

1. 간단하고 알기 쉽게 나타낸 부호 → 약호
   도움말▲ 약호는 비슷한말을 「비」로 나타내는 것처럼 간단하고 알기 쉽게 나타낸 부호예요.
2. 어떤 뜻을 나타내기 위한 문자나 부호 → 기호
   도움말▲ 기호는 발음 표시를 [ ]로 나타내는 것처럼 어떤 뜻을 나타내기 위한 문자나 부호를 말해요.
3. 문자를 적을 때 바르게 쓰기 위해 정한 규칙 → 맞춤법
4. 도움말▼ 낱말의 형태가 바뀐 모습 각각은 '활용형'이라고 해요.
   형태가 바뀌는 낱말에서 기본이 되는 형태 → 기본형
5. 우리말의 낱말들을 모아 낱말들의 발음, 뜻, 쓰임 따위를 풀어서 설명한 책 → 국어사전

2 사전 찾기 1

국어사전에서 낱말을 찾을 때에는 먼저 낱말을 이루는 글자의 짜임을 살펴봐야 해요. 짜임대로 글자를 나누어 보고 글자의 첫소리, 가운뎃소리, 끝소리의 순서로 사전에서 낱말을 찾으면 돼요.

찾는 순서 ① ② ③ ④ ⑤ ⑥

낱말 = ㄴ+ㅏ+ㅌ/ㅁ+ㅏ+ㄹ

다음은 주어진 글자의 짜임을 나타낸 것입니다. 빈칸에 알맞은 낱자를 써 보세요.

1. 
   한글
   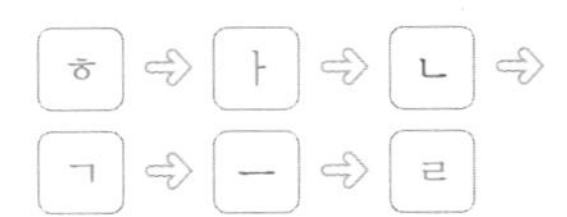

2. 
   옷장
   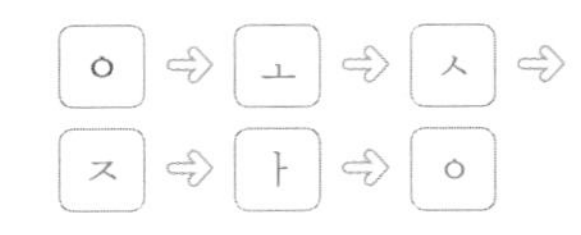

3. 
   책가방
   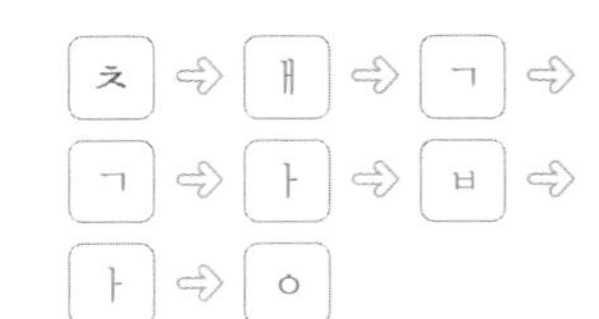

3 사전 찾기 2

'첫 자음자', '모음자', '받침'이 사전에 실리는 순서예요. 다음 순서에 따라 낱말을 찾으면 돼요.

구분	순서→													
첫 자음자	ㄱ	ㄲ	ㄴ	ㄷ	ㄸ	ㄹ	ㅁ	ㅂ	ㅃ	ㅅ	ㅆ	ㅇ	ㅈ	ㅉ
	ㅊ	ㅋ	ㅌ	ㅍ	ㅎ									
모음자	ㅏ	ㅐ	ㅑ	ㅒ	ㅓ	ㅔ	ㅕ	ㅖ	ㅗ	ㅘ	ㅙ	ㅚ	ㅛ	ㅜ
	ㅝ	ㅞ	ㅟ	ㅠ	ㅡ	ㅢ	ㅣ							
받침	ㄱ	ㄲ	ㄳ	ㄴ	ㄵ	ㄶ	ㄷ	ㄹ	ㄺ	ㄻ	ㄼ	ㄽ	ㄾ	ㄿ
	ㅀ	ㅁ	ㅂ	ㅄ	ㅅ	ㅆ	ㅇ	ㅈ	ㅊ	ㅋ	ㅌ	ㅍ	ㅎ	

도움말▼ '밝다'와 '밟다'는 첫 자음자와 모음자가 같아요. 하지만 받침 'ㄺ'이 'ㄼ'보다 사전에 먼저 실리므로 '밝다'가 '밟다'보다 사전의 앞에 나오지요.

주머니의 낱말들을 사전에 실린 순서대로 써 보세요.

1. 

   토끼
2. 
   숨다 밟다 읊다 밝다 맑다

   읊다
3. 

   의지

4 주제별 어휘 말

국어사전에는 낱말에 대한 많은 정보가 들어 있어요. 그 중에는 '본말, 준말, 비슷한말, 반대말, 높임말, 낮춤말' 등의 정보도 포함되어 있지요.

빈칸에 알맞은 낱말을 [보기]에서 찾아 써 보세요.

보기

본말 준말 낮춤말 높임말 반대말 비슷한말

1. '나'는 '저'의 낮춤말 이다.
   사람이나 사물을 낮추어 이르는 말
   도움말▲ '반말'은 '낮춤말'과 비슷한 의미를 가지고 있어요.
2. '여자'의 반대말 은 '남자'이다.
   뜻이 서로 정반대의 관계에 있는 말
3. '뺏다'의 본말 은 '빼앗다'이다.
   줄지 않은 원래의 말
4. '요즘'은 '요즈음'의 준말 이다.
   낱말의 일부분이 줄어든 말
5. 웃어른에게는 높임말 을 써야 한다.
   사람이나 사물을 높여서 이르는 말
6. 낱말이 어려울 땐 비슷한말 로 바꿔 보면 이해할 수 있다.
   뜻이 서로 비슷한 말

5 헷갈리기 쉬운 말 1 발견/발명

'발견'은 '이미 있었던 사실을 모르고 있다가 찾아낸 것'을 뜻하는 말이고 '발명'은 '전에는 없었던 물건을 새롭게 만들어 낸 것'을 뜻하는 말이에요.

신대륙을 **발견**했다. 발명(×)

발명품을 **발명**했다. 발견(×)

빈칸에 '발견' 또는 '발명' 중 알맞은 낱말을 써서 문장을 완성해 보세요.

1. 불을 [발][견]한 것은 인류에게 가장 큰 사건이었다.
2. 콜럼버스는 오랜 항해 끝에 아메리카 대륙을 [발][견]하였다.
3. 장영실은 자동으로 시간을 알려 주는 물시계를 [발][명]하였다.
4. 보물찾기 놀이에서 누구도 숨겨 놓은 보물을 [발][견]하지 못했다.
5. 라이트 형제는 비행기를 [발][명]하기까지 수십 번의 실패를 거듭했다.
6. 에디슨은 일상생활에서 누구나 쉽게 사용할 수 전기용품을 [발][명]하였다.

6 헷갈리기 쉬운 말 2 걸치다/거치다

옷이나 이불 따위를 입거나 덮을 때에는 '걸치다'라고 쓰고, 오가는 도중에 어디를 지나거나 들를 때에는 '거치다'라고 써요.

옷을 **걸치다.** 거치다(×)

공원을 **거치다.** 걸치다(×)

도움말▲ '구름이나 안개 따위가 흩어져 없어지다.'는 뜻의 '걷히다'도 헷갈리기 쉬운 말이므로 구별하여 익혀 두어야 해요.

주어진 뜻을 참고하여 다음 문장에 어울리는 낱말을 찾아 ○표 하세요.

걸치다	옷이나 이불 따위를 아무렇게나 입거나 덮다.
거치다	오가는 도중에 어디를 지나거나 들르다.

1. 몸이 추워서 담요를 (거치고 / (걸치고)) 있었다.
2. 우리는 공원을 ((거쳐서) / 걸쳐서) 놀이터로 갔다.
3. 언니는 매일 아침 친구 집을 ((거쳐서) / 걸쳐서) 학교로 간다.

붙이다	맞닿아 떨어지지 아니하게 하다.
부치다	편지나 물건 따위를 일정한 수단이나 방법을 써서 상대에게 보내다.

4. 나는 미국에 계신 삼촌께 편지를 ((부쳤다) / 붙였다).
5. 친구에게 보낼 편지 봉투에 우표를 (부쳤다 / (붙였다)).
6. 나는 학용품에 내 이름을 적은 스티커를 (부쳤다 / (붙였다)).

7 외래어 표기 프라이팬

외래어는 외국어 발음에 가깝게 적어서는 안 되고, 국어의 정해진 표기에 맞게 써야 해요. '부침개를 할 때 쓰는 넓적한 냄비'의 경우에, '후라이팬'이 아닌 '프라이팬'이 바른 표기예요.

프라이팬에 생선을 굽다. 후라이팬(×)

다음 문장에서 알맞은 낱말을 찾아 ○표 하세요.

1. 나는 꽃가루 (알러지 / (알레르기))가 있다.
2. 나는 ((라디오) / 래디오) 방송을 즐겨 듣는다.

도움말▼ 'f'는 모음 앞에서 'ㅍ'으로 표기해야 해요. 따라서 '후라이팬'이 아닌 '프라이팬'이 맞는 표기예요.

3. 우리 집에는 노란색 ((프라이팬) / 후라이팬)이 있다.
4. 오빠는 (테레비전 / (텔레비전))을 보다가 잠이 들었다.
5. 지난 주말에 캠핑을 가서 ((바비큐) / 바베큐)를 먹었다.
6. 아빠는 카메라 ((렌즈) / 랜즈)가 고장이 나서 속상해 하셨다.

8 형태가 변하는 말 먹다

상황에 따라 형태가 바뀌는 말이 있어요. 바뀌는 형태를 대표하는 말을 '기본형'이라고 해요. '기본형'은 낱말의 형태가 바뀌지 않는 부분에 '-다'를 붙여서 만들어요.

밥을 **먹다.** (기본형) → 밥을 먹고 공부를 한다. / 먹으니 배가 부르다. / 먹어서 기분이 좋다.

도움말▲ '먹고', '먹으니', '먹어서'는 모두 기본형 '먹다'의 활용형이에요.

주어진 낱말들의 기본형을 써 보세요.

1. 뛰고, 뛰니, 뛰어서 ⇨ 뛰다
2. 먹고, 먹으니, 먹어서 ⇨ 먹다
3. 본받고, 본받으니, 본받아서 ⇨ 본받다
4. 뒤쫓고, 뒤쫓으니, 뒤쫓아서 ⇨ 뒤쫓다
5. 낚아채고, 낚아채니, 낚아채서 ⇨ 낚아채다
6. 솟고, 솟으니, 솟아서, 솟으므로 ⇨ 솟다

9 행동을 하게 하는 말 들이다

'들다'는 '색깔, 물기 등이 스미거나 배다.'라는 뜻을 나타내고, '들이다'는 '색깔, 물기 등이 스미거나 배게 하다.'의 뜻을 나타내요. 상황에 따라 다른 낱말을 사용해야 바른 문장이 돼요.

옷에 물이 **들다.** → 옷에 물을 **들이다.**
스미거나 배다. 스미거나 배게 하다.

도움말▲ 행동을 하게 하는 말은 동작을 나타내는 낱말에 '-이-, -히-, -리-, -기-, -우-, -구-, -추-'를 넣어서 만들 수 있어요.

빈칸에 알맞은 낱말 쌍을 [보기]에서 찾아 써 보세요.

보기
들다-들이다 묻다-묻히다 쓰다-씌우다

❶ 그림을 그리다가 손에 물감이 [묻다].
그림을 그리기 위해 붓에 물감을 [묻히다].

❷ 아이가 스스로 털모자를 머리에 [쓰다].
감기에 걸리지 않도록 아이에게 털모자를 [씌우다].

❸ 염색약이 튀어서 옷에 물이 [들다].
머리 색을 바꾸려고 염색약으로 머리에 물을 [들이다].

10 줄여 쓸 수 없는 말 사귀었다

'사귀었다'는 '사겼다'로 줄여서 쓸 수 없어요. '바뀌었다'도 '바꼈다'로 줄여서 쓸 수 없지요.

두 사람은 오랜 기간 **사귀었다.**
사겼다(×)

도움말▲ '사귀었다'에서 낱말의 형태가 바뀌어도, 변하지 않는 부분은 '사귀-'예요. 이를 보고 기본형이 '사귀다'임을 알 수 있어요. 그런데 이를 '사겼다'로 줄여 쓰면, 기본형이 무엇인지 파악할 수 없게 되므로, 줄여 쓸 수가 없어요.

밑줄 친 부분을 바르게 고쳐 써 보세요.

❶ 운동장을 뛰다가 힘들어서 잠시 그늘에서 쉈다. ⇨ [쉬었다]

❷ 나무 위의 새들이 하루종일 지저겼다. ⇨
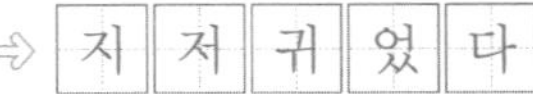

❸ 나는 학교에서 좋은 친구들을 많이 사겼다. ⇨

❹ 가구를 새로 바꾸니 방의 분위기가 바꼈다. ⇨

❺ 형이 텔레비전을 보다가 갑자기 방귀를 꼈다. ⇨
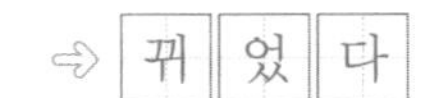

❻ 우리 집 고양이가 내 손을 할켰다. ⇨

11 타교과 어휘 도덕

빈칸에 알맞은 낱말을 [보기]에서 찾아 써 보세요.

보기
끈기 보람 인내 핑계 최선 자신감

❶ [끈기] 있게 버티면 성공할 수 있다.
그만두지 않고 계속해서 참고 견디는 성질

❷ 쉽게 포기하지 말고 [최선]을 다해야 한다.
온 정성과 힘

❸ 봉사 활동은 힘이 들지만 [보람]이 있다.
어떤 일을 한 뒤에 얻어지는 좋은 결과나 만족감

❹ 보충 수업을 듣고 나서 수학에 대한 [자신감]이 생겼다.
어떤 일을 해낼 수 있다고 굳게 믿는 느낌

도움말▼ '인내'와 의미가 비슷한 말로 '감내'가 있어요.

❺ 그 선수는 고통을 [인내]한 결과 마침내 국가 대표가 되었다.
괴로움이나 어려움을 참고 견딤.

❻ 나는 친구에게 잘못한 일에 대해 [핑계]를 대지 않고 바로 사과했다.
잘못한 일에 대하여 이리저리 돌려 말하는 변명

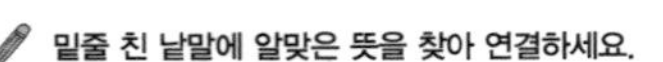
밑줄 친 낱말에 알맞은 뜻을 찾아 연결하세요.

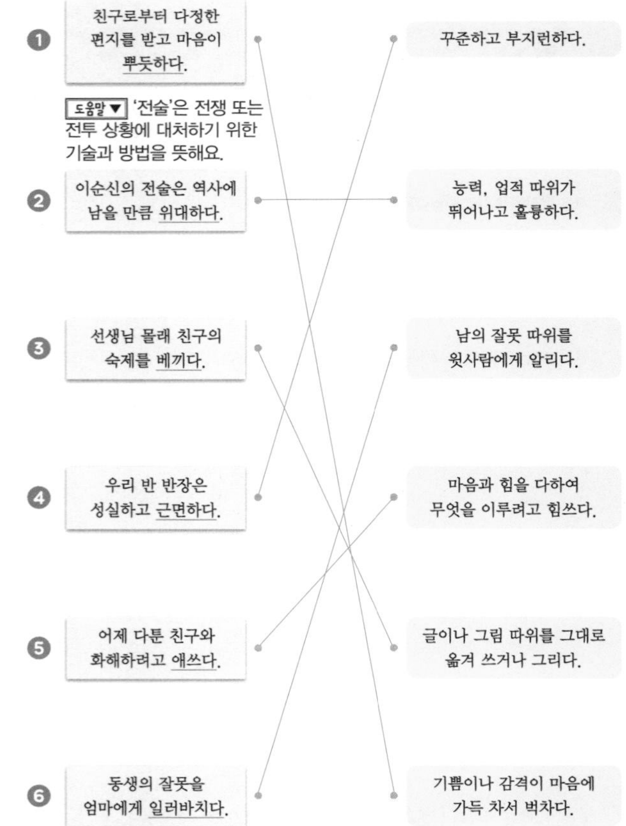

❶ 친구로부터 다정한 편지를 받고 마음이 뿌듯하다.
도움말▼ '전술'은 전쟁 또는 전투 상황에 대처하기 위한 기술과 방법을 뜻해요.
❷ 이순신의 전술은 역사에 남을 만큼 위대하다.
❸ 선생님 몰래 친구의 숙제를 베끼다.
❹ 우리 반 반장은 성실하고 근면하다.
❺ 어제 다툰 친구와 화해하려고 애쓰다.
❻ 동생의 잘못을 엄마에게 일러바치다.
꾸준하고 부지런하다.
능력, 업적 따위가 뛰어나고 훌륭하다.
남의 잘못 따위를 윗사람에게 알리다.
마음과 힘을 다하여 무엇을 이루려고 힘쓰다.
글이나 그림 따위를 그대로 옮겨 쓰거나 그리다.
기쁨이나 감격이 마음에 가득 차서 벅차다.

8장 의견이 있어요

국어 교과서 212~237쪽

1 주제별 어휘 의견

의견은 '어떤 대상에 대하여 가지는 생각'이에요. 의견은 일반적으로 까닭과 함께 제시되는데 의견과 까닭을 함께 파악하며 글을 읽으면 글을 이해하는 데 도움이 돼요.

도움말▲ 글쓴이의 의견을 파악할 때에는 글쓴이의 생각이 분명하게 나타난 문장을 찾아야 해요.

주어진 낱말에 알맞은 뜻을 찾아 연결하세요.

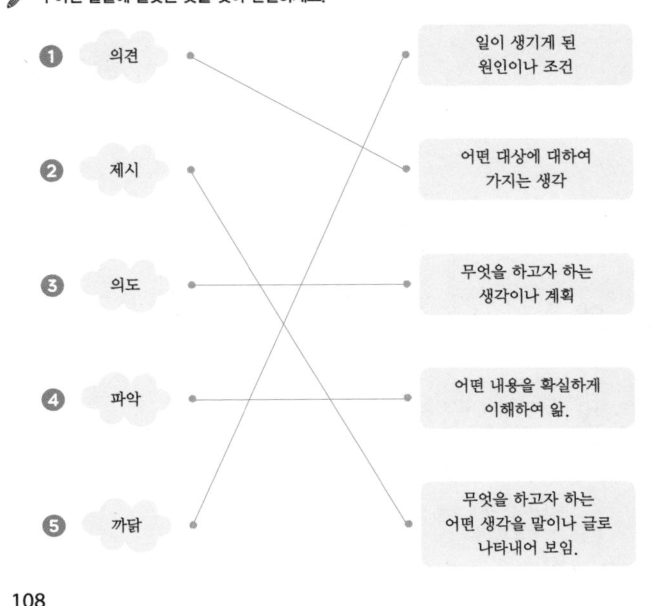

2 모양을 흉내 내는 말 들쑥날쑥

'들쑥날쑥'은 '들어가기도 하고 나오기도 하여 가지런하지 않은 모양'을 흉내 내는 말이에요.

텃밭에 채소가 **들쑥날쑥** 자라고 있다.

22일 월 일

빈칸에 알맞은 낱말을 [보기]에서 찾아 써 보세요.

보기: 불쑥 삐죽 들쑥날쑥 사뿐사뿐 조근조근

① 동생이 자고 있어서 [사뿐사뿐] 걸어 다녔다.
소리가 나지 않도록 가볍게 계속해서 걷는 모양

도움말▼ '삐쭉'은 '삐죽'보다 아주 센 느낌을 주는 말이에요.

② 아기가 금방이라도 울듯 입을 [삐죽] 내밀었다.
비웃거나 기분이 나쁘거나 울려고 할 때 소리 없이 입을 내미는 모양

③ 그는 자신이 하고 싶은 말을 [조근조근] 늘어놓았다.
낮은 목소리로 자세하게 이야기를 하는 모양

도움말▼ '들쭉날쭉'도 '들쑥날쑥'과 같은 말이에요.

④ 아이들이 선 줄이 똑바르지 않고 [들쑥날쑥] 엉망이다.
들어가기도 하고 나오기도 하여 가지런하지 않은 모양

⑤ 장난을 치고 있는데 선생님께서 [불쑥] 교실로 들어오셨다.
갑자기 쑥 나타나거나 생기거나 하는 모양

3 사람을 가리키는 말과 부른 말 도령

우리말에는 사람을 가리키거나 부르는 말이 있어요. '도령'은 '총각'을 대접하여 이르는 말이고 '소저'는 '아가씨'를 한문 투로 이르는 말이에요.

앞에 가는 사람은 옆집에 사는 박 **도령**이다.
'총각'을 대접하여 이르는 말

주어진 뜻에 알맞은 낱말을 찾아 ○표 하세요.

① '도령'의 높임말 ⇨ (도련님) 도령님

② '총각'을 대접하여 이르는 말 ⇨ (도령) 신랑

③ '아가씨'를 한문 투로 이르는 말 ⇨ 소녀 (소저)

④ '시집갈 나이의 여자'를 이르거나 부르는 말 ⇨ (아가씨) 아저씨

⑤ 아랫사람들이 '젊은 여자'를 높여 이르는 말 ⇨ (아씨) 부인

도움말▼ '사또'는 (옛날에) 백성이나 하급 관리가 자기 고을을 다스리는 최고 관리를 부르던 말이에요.

⑥ '조선 시대에, 정이품 이상의 벼슬아치'를 높여 부르던 말 ⇨ 사또 (대감)

4 뜻을 더하는 말 -다시피

'-다시피'는 '-는 바와 같이'라는 뜻을 지닌 말이에요. '알다시피'는 '아는 바와 같이'라는 뜻이지요.

알- + -다시피 → 알다시피
(-는 바와 같이) (아는 바와 같이)

도움말▲ '-다시피'는 '뛰다시피 걸었다.'와 같이 행동을 나타내는 말의 뒤에 붙어 '어떤 동작에 가까움.'을 나타내는 말로도 쓰여요.

22일 월 일

밑줄 친 부분을 하나의 낱말로 바꿔 써 보세요.

① 너도 아는 바와 같이 나는 초콜릿을 좋아해. ⇨ [알다시피]

② 너도 듣는 바와 같이 교실이 너무 시끄러워. ⇨ [듣다시피]

③ 너도 보는 바와 같이 내 손에는 아무것도 없어. ⇨ [보다시피]

④ 너도 짐작하는 바와 같이 소영이는 지금 기분이 좋지 않아. ⇨ [짐작하다시피]

⑤ 너도 느끼는 바와 같이 우리 집 강아지는 털이 아주 보드라워. ⇨ [느끼다시피]

5 잘못 쓰기 쉬운 말 꼼꼼히

'빈틈이 없이 차분하고 조심스러운 모양'을 나타내는 '꼼꼼히'는 '꼼꼼이'로 잘못 쓰지 않도록 주의해야 해요.

청소가 덜 된 부분이 있는지 교실을 **꼼꼼히** 살펴보았다.
꼼꼼이(×)

문장에 알맞은 낱말을 찾아 ○표 하세요.

1. 나는 밑줄을 그어 가며 책을 (꼼꼼이 / (꼼꼼히)) 읽는다.
   빈틈이 없이 차분하고 조심스러운 모양
2. 내 옷에 묻은 얼룩을 엄마께서 (말끔이 / (말끔히)) 지워 주셨다.
   티 없이 맑고 환할 정도로 깨끗하게
3. 바람이 불고 지나간 자리에 낙엽이 ((수북이) / 수북히) 쌓여 있다.
   도움말▼ '수북이'와 같은 뜻을 가진 말로 '소복이'가 있어요.
   쌓이거나 담긴 물건 따위가 불룩하게 많이
4. 이 의자는 (튼튼이 / (튼튼히)) 만들어 무거운 무게도 버틸 수 있다.
   무르거나 느슨하지 아니하고 몹시 야무지고 굳세게
5. 교실 바닥을 닦아 더러워진 대걸레를 수돗가에서 ((깨끗이) / 깨끗히) 빨았다.
   사물이 더럽지 않게
6. 친구와 다투고 나서 내가 무엇을 잘못했는지 ((곰곰이) / 곰곰히) 생각해 보았다.
   여러모로 깊이 생각하는 모양

6 합쳐진 말 바느질

두 말이 합쳐질 때 원래는 있던 'ㄹ'이 없어지는 경우가 있어요. '바늘'과 '질'이 합쳐져 '바느질'이 되는 것처럼 말이에요.

바늘 + 질 → 바느질
두 낱말이 합쳐질 때 / 'ㄹ'이 사라짐

도움말▲ 두 낱말이 합쳐질 때 자음 'ㄴ, ㄷ, ㅅ, ㅈ' 앞에서 'ㄹ'이 탈락해요.

빈칸에 알맞은 낱말을 써 보세요.

1. '남의 딸'을 높여 이르는 말 — 딸 + 님 = 따님
2. '말과 소'를 아울러 이르는 말 — 말 + 소 = 마소
3. 쌀과 그 밖의 곡식을 파는 가게 — 쌀 + 전 = 싸전
4. '소나뭇과의 모든 식물'을 통틀어 이르는 말 — 솔 + 나무 = 소나무
5. 바늘에 실을 꿰어 옷 따위를 짓거나 꿰매는 일 — 바늘 + 질 = 바느질
6. 활시위를 팽팽하게 당겼다 놓으면 그 힘으로 멀리 날아가도록 만든 물건 — 활 + 살 = 화살

7 자주 쓰는 말 머리를 맞대다

'머리를 맞대다'라는 말은 '머리를 마주 닿게 하다.'라는 뜻도 있지만 '의견을 주고받기 위해 서로 마주 대하다.'라는 새로운 뜻으로 쓰이기도 해요.

선수들이 경기에서 이길 방법을 찾기 위해 **머리를 맞대다.**
의견을 주고받기 위해 서로 마주 대하다.

밑줄 친 말에 알맞은 뜻을 찾아 연결하세요.

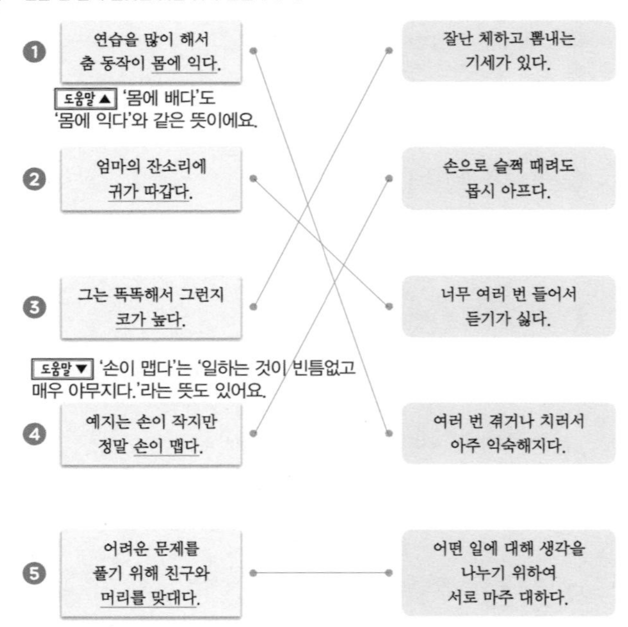

1 연습을 많이 해서 춤 동작이 몸에 익다.
도움말▲ '몸에 배다'도 '몸에 익다'와 같은 뜻이에요.
2 엄마의 잔소리에 귀가 따갑다.
3 그는 똑똑해서 그런지 코가 높다.
도움말▼ '손이 맵다'는 '일하는 것이 빈틈없고 매우 야무지다.'라는 뜻도 있어요.
4 예지는 손이 작지만 정말 손이 맵다.
5 어려운 문제를 풀기 위해 친구와 머리를 맞대다.
잘난 체하고 뽐내는 기세가 있다.
손으로 슬쩍 때려도 몹시 아프다.
너무 여러 번 들어서 듣기가 싫다.
여러 번 겪거나 치러서 아주 익숙해지다.
어떤 일에 대해 생각을 나누기 위하여 서로 마주 대하다.

8 단위를 나타내는 말 근

물건에 따라 단위를 나타내는 말이 달라요. 쇠고기는 '한 근, 두 근'처럼 세고, 쌀은 '한 말, 두 말'처럼 세지요.

쇠고기 한 **근** (고기를 셀 때) / 쌀 두 **말** (곡식을 셀 때)

도움말▲ '근'은 채소를 셀 때도 쓰이는 단위예요. 고기는 600g이 한 근이고 채소는 375g이 한 근이지요.

빈칸에 알맞은 낱말을 [보기]에서 찾아 써 보세요.

보기: 근 땀 말 채 통 컵

1. 엄마가 정육점에서 고기 두 [근]을 샀다.
   고기를 세는 단위
2. 전학 간 친구로부터 편지 한 [통]이 왔다.
   편지나 전화 따위를 세는 단위
3. 시골에서 삼촌이 쌀 한 [말]을 보내 주셨다.
   곡식, 액체, 가루 따위의 부피를 잴 때 쓰는 단위
4. 우리 학교 옆에는 고층 아파트가 여러 [채] 있다.
   집을 세는 단위
5. 나는 매일 아침에 일어나서 우유를 한 [컵]씩 마신다.
   음료 따위를 세는 단위
6. 할머니께서는 몇 [땀]만 더 뜨면 솜기가 마무리된다고 하셨다.
   실을 꿴 바늘로 한 번 뜬 자국을 세는 단위

9 뜻이 반대인 말 이롭다/해롭다

'이롭다'는 '보탬이 되는 것이 있다.'라는 뜻이고, '해롭다'는 '좋지 않게 되는 점이 있다.'라는 뜻으로 서로 반대되는 말이에요.

이롭다 ⇄ **해롭다**
보탬이 되는 것이 있다. 좋지 않게 되는 점이 있다.

✎ 밑줄 친 낱말과 뜻이 반대인 낱말을 [보기]에서 찾아 써 보세요.

보기: 해롭다 낭비하다 무례하다 복잡하다 한가하다

1. 그 사람은 언제나 태도와 말씨가 정중하다. (예의바르고 점잖다.) ⇨ 무례하다 (태도나 말에 예의가 없다.)

2. 매일 규칙적인 운동을 하는 것은 건강에 이롭다. (이익이 있다.) ⇨ 해롭다 (해가 되는 점이 있다.)

도움말▼ '낭비하다'와 비슷한 뜻을 가진 말로 '허비하다'가 있어요.

3. 양치할 때에는 컵에 물을 받아 써서 물을 아끼다. (물건이나 돈, 시간 따위를 마구 쓰지 아니하다.) ⇨ 낭비하다 (물건이나 돈, 시간 따위를 마구 쓰다.)

4. 그 공장은 일이 많아서 쉬는 날이 없을 만큼 바쁘다. (일이 많거나 또는 서둘러서 해야 할 일로 인하여 딴 겨를이 없다.) ⇨ 한가하다 (겨를이 생겨 여유가 있다.)

5. 이 물건은 누구나 쉽게 쓸 수 있을 만큼 사용법이 간편하다. (간단하고 편리하다.) ⇨ 복잡하다 (여럿이 겹치고 뒤섞여 있다.)

10 짝을 이루는 말 어이없다

'있다'와 '없다' 중 어느 하나와만 어울려서 만들어진 낱말이 있어요. '맛'은 '있다', '없다'와 모두 어울려서 낱말이 만들어질 수 있지만 '어이'는 '없다'와만 붙여 쓸 수 있어요.

네가 한 행동이 **어이없다.**
어이있다(×)

✎ 문장에 알맞은 낱말을 찾아 ○표 하세요.

도움말▼ '어처구니없다'는 '어이없다'와 같은 말이에요.

1. 네가 그런 거짓말을 하다니 ((어이없다) / 어이있다). (일이 너무 뜻밖이어서 기가 막히는 듯하다.)

2. 그 일에 (뜻없으면 / (뜻있으면)) 언제든지 말해라. (일 따위를 하고 싶은 생각이 있으면)

3. 우리는 말이 잘 통해서 대화가 ((끊임없다) / 끊임있다). (계속하거나 이어져 있던 것이 끊이지 아니하다.)

4. 아버지와 그분은 형제간이나 ((다름없다) / 다름있다). (견주어 보아 같거나 비슷하다.)

5. 웬일로 동생이 숙제를 방해하지 않고 (가만없다 / (가만있다)). (몸을 움직이거나 활동하지 않고 조용히 있다.)

11 타교과 어휘 사회

✎ 다음 그림에 알맞은 낱말을 [보기]에서 찾아 써 보세요.

보기: 가마 비행기 증기선 소달구지

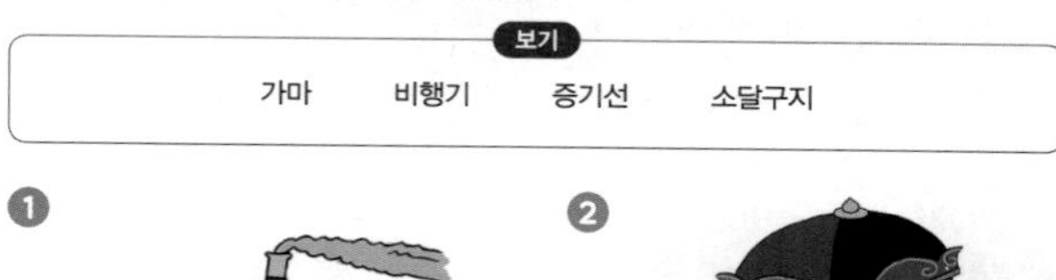

1. 증기선 (증기 기관으로 움직이는 배)

도움말▲ 증기선은 '증기 기관으로 움직이는 배'를 이르는 말이에요.

2. 가마 (예전에, 안에 사람을 태우고 둘 또는 넷이 들고 이동하는 조그만 집 모양의 탈것)

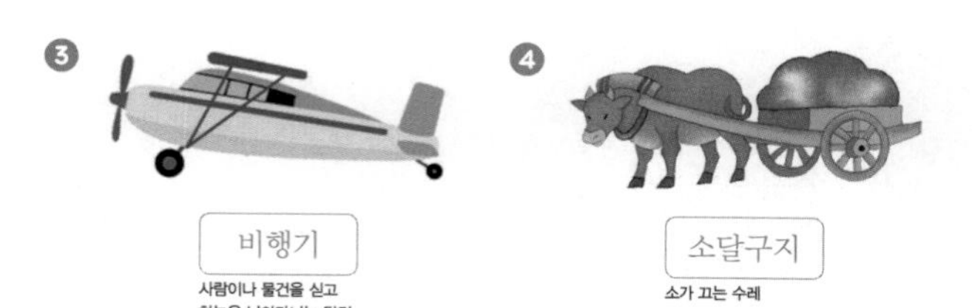

3. 비행기 (사람이나 물건을 싣고 하늘을 날아다니는 탈것)

4. 소달구지 (소가 끄는 수레)

✎ 밑줄 친 낱말에 알맞은 뜻을 찾아 연결하세요.

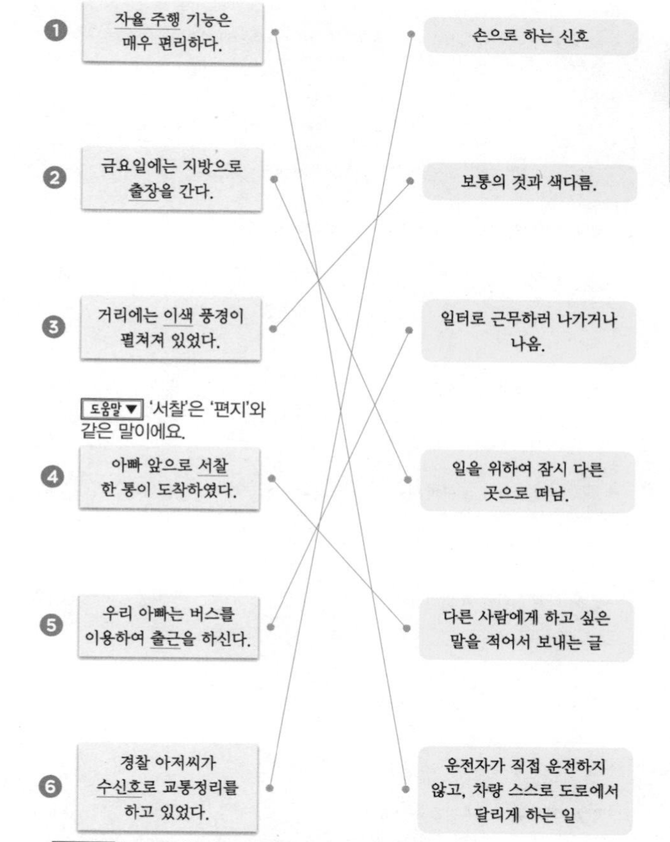

1 자율 주행 기능은 매우 편리하다.
2 금요일에는 지방으로 출장을 간다.
3 거리에는 이색 풍경이 펼쳐져 있었다.
4 아빠 앞으로 서찰 한 통이 도착하였다.
5 우리 아빠는 버스를 이용하여 출근을 하신다.
6 경찰 아저씨가 수신호로 교통정리를 하고 있었다.
손으로 하는 신호
보통의 것과 색다름.
일터로 근무하러 나가거나 나옴.
일을 위하여 잠시 다른 곳으로 떠남.
다른 사람에게 하고 싶은 말을 적어서 보내는 글
운전자가 직접 운전하지 않고, 차량 스스로 도로에서 달리게 하는 일

도움말▼ '서찰'은 '편지'와 같은 말이에요.

도움말▲ '교통정리'는 '사람이나 차가 안전하고 질서 있게 오가게 하기 위해 통행을 지시하는 일'을 이르는 말이에요.

9장 어떤 내용일까

국어 교과서 238~265쪽

1 짐작하며 읽기

낱말의 뜻이나 생략된 내용을 글에 있는 단서를 통해 짐작하며 글을 읽으면 글을 이해하는 데 도움이 돼요.

도움말▲ 잘 모르는 낱말의 의미를 짐작하기 위해서는 낱말의 앞뒤 문맥을 활용할 수도 있고, 어려운 낱말을 뜻이 비슷한 쉬운 낱말로 바꾸어 볼 수도 있어요.

✎ 밑줄 친 낱말에 알맞은 뜻을 찾아 연결하세요.

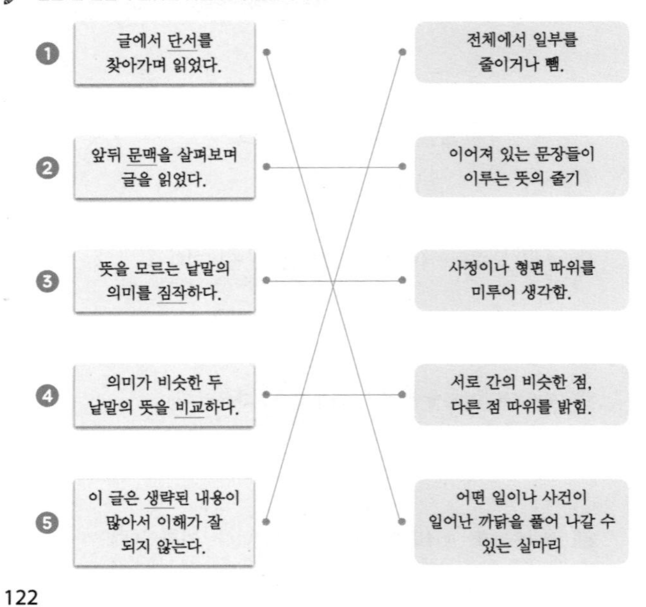

1 글에서 단서를 찾아가며 읽었다.
2 앞뒤 문맥을 살펴보며 글을 읽었다.
3 뜻을 모르는 낱말의 의미를 짐작하다.
4 의미가 비슷한 두 낱말의 뜻을 비교하다.
5 이 글은 생략된 내용이 많아서 이해가 잘 되지 않는다.
전체에서 일부를 줄이거나 뺌.
이어져 있는 문장들이 이루는 뜻의 줄기
사정이나 형편 따위를 미루어 생각함.
서로 간의 비슷한 점, 다른 점 따위를 밝힘.
어떤 일이나 사건이 일어난 까닭을 풀어 나갈 수 있는 실마리

2 주제별 어휘 지진

'지진'과 관련된 말이 있어요. '지진'과 관련된 말을 익히고 '지진'에 대비하는 방법을 알아보도록 해요.

✎ 빈칸에 알맞은 낱말을 [보기]에서 찾아 써 보세요.

보기: 대피 발령 해일 확보 산사태 승강기

1. [해일]이 해안에 밀어닥쳤다.
   갑자기 바닷물이 크게 일어서 육지로 넘쳐 들어오는 자연 현상
2. 나무를 많이 베면 [산사태]가 일어나기 쉽다.
   큰비나 지진, 화산 따위로 바윗돌이나 흙이 갑자기 무너져 내리는 현상
3. 지진이 나면 문을 열어 출입문을 [확보]해야 한다.
   확실히 가지고 있음.
4. 산에서 지진이 발생하면 안전한 장소로 [대피]해야 한다.
   위험이나 피해를 입지 않도록 일시적으로 피함.

   도움말▼ '승강기'는 '엘리베이터'라고도 해요.
5. 건물 안에서 지진이 발생했을 경우 [승강기]를 타면 안 된다.
   동력을 사용하여 사람이나 화물을 아래위로 나르는 장치
6. 해안에서 지진 특보가 [발령]되면 높은 곳으로 이동해야 한다.
   긴급 상황에 대한 경보를 발표함.

3 올바른 발음 읽다[익따], 읽기[일끼]

겹받침 'ㄺ'은 뒤에 자음이 뒤따라올 때에 주로 [ㄱ]으로 소리 나요. 다만 뒤에 자음 'ㄱ'이 올 때에는 [ㄹ]로 소리 나지요.

'ㄱ' 이외의 자음이 오면	'ㄱ'이 오면
읽다 → [익따] ('ㄺ' 뒤에 / [ㄱ]으로 소리 남.)	읽기 → [일끼] ('ㄺ' 뒤에 / [ㄹ]로 소리 남.)

✎ 밑줄 친 부분의 알맞은 발음을 찾아 ○표 하세요.

1. 보름달이 참 밝지? ⇨ [발찌] (박찌)
2. 달이 참 밝기도 하다. ⇨ (발끼) [박끼]
3. 벌레 물린 곳을 긁지 마. ⇨ [글찌] (극찌)
4. 나의 취미는 책 읽기이다. ⇨ (일끼) [익끼]
5. 날이 포근하고 하늘이 맑다. ⇨ [말따] (막따)
6. 책을 읽고 독후감을 써야겠다. ⇨ (일꼬) [익꼬]

4 합쳐진 말 살갗, 나뭇가지

'살갗'은 '살'과 '가죽'이 합쳐진 말이에요. '갗'은 '가죽'의 옛말이지요. 또 '나뭇가지'는 '나무'와 '가지'가 합쳐진 말인데 합쳐질 때 'ㅅ'이 생겨났어요.

살 + 가죽 → 살갗 나무 + 가지 → 나뭇가지

✎ 빈칸에 알맞은 낱말을 써 보세요.

1. 살갗 = [살] + [가죽]
   살가죽의 겉면
2. 담쟁이덩굴 = [담쟁이] + [덩굴]
3. 나뭇가지 = [나무] + [가지]
4. 암수 = [암컷] + [수컷]

   도움말▼ '실마리'는 '실+머리'에서 나온 말로, '헝클어진 실의 첫머리'라는 기본적인 뜻을 가지고 있어요. 헝클어진 실 뭉치에서 첫머리를 찾아야 실을 잘 정리해 둘 수 있다는 의미예요.
5. 실마리 = [실] + [머리]
   일이나 사건을 풀어 나갈 수 있는 첫머리
6. 풀숲 = [풀] + [숲]

5 느낌을 나타내는 말 가뿐하다

'가뿐하다'는 '몸의 상태가 가볍고 상쾌하다.'라는 뜻이에요. 또 '한가롭다'는 '바쁘지 않고 여유가 있는 느낌이 있다.'라는 뜻이지요. 이와 같은 말들은 느낌이나 감정을 나타내 주는 말이에요.

밑줄 친 낱말에 알맞은 뜻을 찾아 연결하세요.

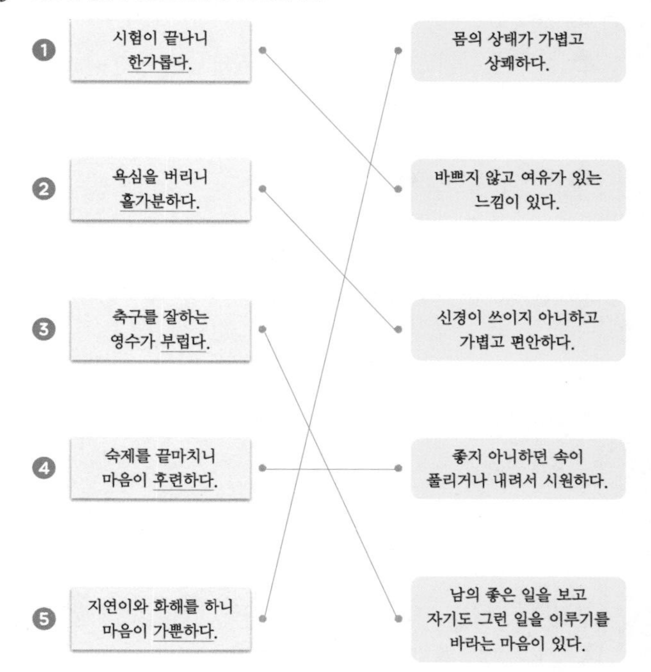

1. 시험이 끝나니 한가롭다.
2. 욕심을 버리니 홀가분하다.
3. 축구를 잘하는 영수가 부럽다.
4. 숙제를 끝마치니 마음이 후련하다.
5. 지연이와 화해를 하니 마음이 가뿐하다.

- 몸의 상태가 가볍고 상쾌하다.
- 바쁘지 않고 여유가 있는 느낌이 있다.
- 신경이 쓰이지 아니하고 가볍고 편안하다.
- 좋지 아니하던 속이 풀리거나 내려서 시원하다.
- 남의 좋은 일을 보고 자기도 그런 일을 이루기를 바라는 마음이 있다.

6 모양을 흉내 내는 말 팔랑팔랑

'팔랑팔랑'은 '바람에 힘차고 가볍게 계속 나부끼는 모양'을 흉내 낸 말이에요.

빈칸에 알맞은 낱말을 [보기]에서 찾아 써 보세요.

보기: 푸르르 반짝반짝 살금살금 팔랑팔랑 폴짝폴짝

1. 마루가 [반짝반짝] 윤이 난다.
   작은 빛이 나타났다가 사라졌다가 하는 모양
2. 코스모스가 바람에 [팔랑팔랑] 흔들린다.
   바람에 힘차고 가볍게 계속 나부끼는 모양

도움말▼ '푸르르'는 '부르르'보다 거센 느낌을 줘요.

3. 어제 잠을 못 잤더니 눈이 [푸르르] 떨렸다.
   몸의 일부가 가볍게 떨리는 모양
4. 아이들은 선물을 받고 신이 나서 [폴짝폴짝] 뛰었다.
   작은 것이 자꾸 세차고 가볍게 뛰어오르는 모양

도움말▼ '살금살금'과 비슷한 의미를 가진 말로 '가만가만'이 있어요.

5. [살금살금] 다가가서 꽃잎 위에 앉아 있는 잠자리를 관찰했다.
   남이 알아차리지 못하도록 눈치를 살펴 가면서 살며시 행동하는 모양

7 한자성어 견원지간

개와 원숭이의 사이라는 뜻을 지닌 '견원지간'은 서로 좋지 않은 관계를 이르는 한자성어예요.

견원지간: 犬 / 猿 / 之 / 間
개 견 / 원숭이 원 / 갈 지 / 사이 간

주어진 한자성어에 알맞은 뜻을 찾아 연결하세요.

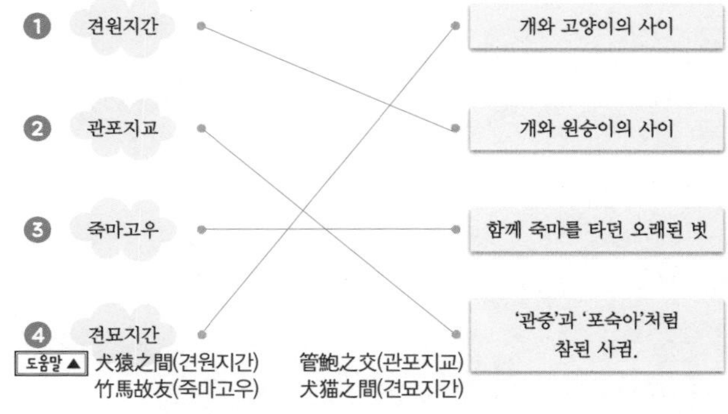

1. 견원지간
2. 관포지교
3. 죽마고우
4. 견묘지간

- 개와 고양이의 사이
- 개와 원숭이의 사이
- 함께 죽마를 타던 오래된 벗
- '관중'과 '포숙아'처럼 참된 사귐.

도움말▲ 犬猿之間(견원지간) 管鮑之交(관포지교) 竹馬故友(죽마고우) 犬猫之間(견묘지간)

다음 설명에 알맞은 한자성어를 [보기]에서 찾아 두 개씩 써 보세요.

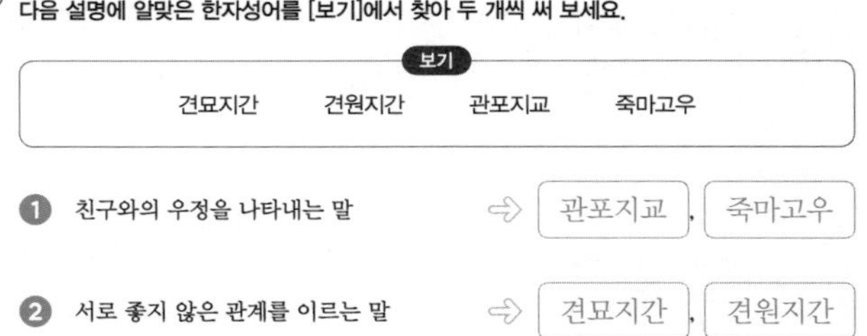

보기: 견묘지간 견원지간 관포지교 죽마고우

1. 친구와의 우정을 나타내는 말 ⇨ [관포지교], [죽마고우]
2. 서로 좋지 않은 관계를 이르는 말 ⇨ [견묘지간], [견원지간]

8 헷갈리기 쉬운 말 헤치다/해치다

'헤치다'는 '속에 든 물건을 드러나게 하려고 덮인 것을 파거나 젖히다.'라는 뜻이고, '해치다'는 '사람의 마음이나 몸에 해를 입히다.'라는 뜻이에요.

수풀을 **헤치다.** 해치다(×) 건강을 **해치다.** 헤치다(×)

뜻을 참고하여 빈칸에 알맞은 글자를 써 보세요.

1. ㉠ 사람의 마음이나 몸에 해를 입히다.
   ㉡ 속에 든 물건을 드러나게 하려고 덮인 것을 파거나 젖히다.

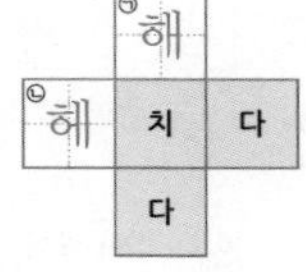

2. ㉢ 틀림없이 꼭
   ㉣ 물건이나 행동 따위가 비뚤어지거나 기울지 아니하고 바르게

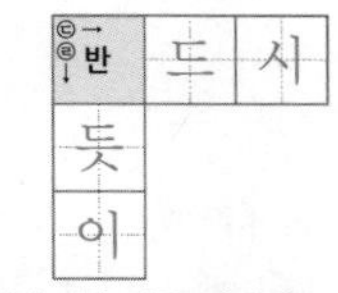

도움말▲ '반드시'는 '기필코'와 같은 말이에요.

다음 문장에 어울리는 낱말을 찾아 ○표 하세요.

1. 의자에 앉을 때 자세를 (반드시 / 반듯이) 해라.
2. 숙제를 다 하고 나서 놀겠다는 약속을 (반드시 / 반듯이) 지켜라.
3. 음식을 지나치게 많이 먹는 것은 사람의 건강을 (헤친다 / 해친다).
4. 소풍을 가서 보물을 찾으려고 풀숲을 (헤쳤다 / 해쳤다).

9 바꿔 쓸 수 있는 말 서약

'서약'과 '맹세'는 '일정한 약속이나 목표를 꼭 실천하겠다고 다짐함.'이라는 비슷한 뜻을 지니고 있어요. 이와 같이 비슷한 뜻을 가진 낱말들은 때에 따라 서로 바꿔 쓸 수 있어요.

사랑의 [서약 / 맹세]
바꿔 쓸 수 있음.

✏ 밑줄 친 낱말과 바꿔 쓸 수 있는 낱말을 [보기]에서 찾아 써 보세요.

보기: 몰두 서약 차단 참석 흡반

도움말▼ '골몰'도 '열중', '몰두'와 비슷한 의미를 지니고 있어요.

1. 그 선수는 온종일 훈련에만 열중하고 있다. (한 가지 일에 정신을 쏟음.) ⇨ 몰두
2. 외부인이 들어오지 못하도록 출입문을 봉쇄했다. (굳게 막아 버리거나 잠금.) ⇨ 차단
3. 이번 학교 행사에는 작년보다 많은 학생들이 참가했다. (모임이나 단체 또는 일에 들어감.) ⇨ 참석
4. 수족관 유리벽에 붙어 있는 문어의 빨판을 살펴보았다. (다른 동물이나 물체에 달라붙기 위한 기관) ⇨ 흡반
5. 나는 엄마에게 다시는 동생과 싸우지 않겠다고 맹세했다. (일정한 약속이나 목표를 꼭 실천하겠다고 다짐함.) ⇨ 서약

10 줄여 쓰는 말 좀

'조금'의 준말은 '좀'이에요. '쫌'으로 잘못 쓰지 않도록 주의할 필요가 있어요.

어제 텔레비전을 보느라 잠을 좀 늦게 잤다.
쫌(×)

도움말▲ '쪼끔'은 '조금'의 센말이에요.

✏ 다음 문장에 알맞은 낱말을 찾아 ○표 하세요.

1. 나를 (좀 / 쫌)만 기다려 줘. — 좀
2. 국에 소금을 (좀 / 쫌) 넣어 먹어라. — 좀
3. 잠을 자고 나니 기분이 (좀 / 쫌) 나아졌다. — 좀
4. (좀 / 쫌) 늦잠을 잤지만 지각을 하지 않았다. — 좀
5. 배가 고프지 않아서 밥을 (좀 / 쫌)만 먹었다. — 좀
6. 여기서 (좀 / 쫌) 더 가면 우리 학교가 나온다. — 좀

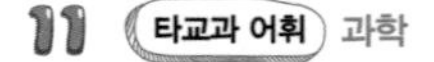

11 타교과 어휘 과학

✏ 빈칸에 알맞은 낱말을 찾아 ○표 하고, 바르게 써 보세요.

1. [탐험대]가 북극에 도착했다. ⇨ 탐험대 / 위험대 (위험을 참고 견디며 어떤 곳을 찾아가 살피고 조사하기 위해 모인 사람들)
2. 달에는 [충돌] 구덩이가 있다. ⇨ 잔돌 / 충돌 (서로 세게 맞부딪치거나 맞서는 것)

도움말▼ '뱃길'은 '선로'로도 쓸 수 있어요.

3. 비가 많이 와서 [뱃길]이 끊어졌다. ⇨ 뱃길 / 배로 (배가 다니는 길)
4. 배는 [해협]을 지나 큰 바다로 나갔다. ⇨ 해협 / 협해 (육지 사이에 끼어 있는 좁고 긴 바다)
5. 나는 세계 [일주]를 하는 것이 꿈이다. ⇨ 일기 / 일주 (일정한 경로로 한 바퀴 돎.)
6. 지구의 [표면]에는 산, 들, 강 등이 있다. ⇨ 표면 / 수면 (사물의 가장 바깥쪽. 또는 가장 윗부분)

✏ 밑줄 친 낱말에 알맞은 뜻을 찾아 연결하세요.

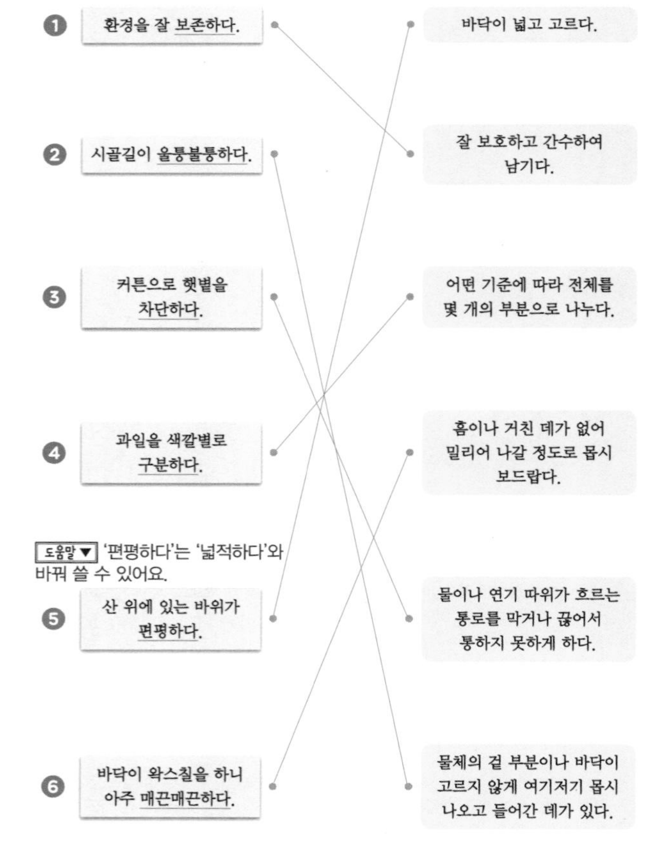

1. 환경을 잘 보존하다. — 잘 보호하고 간수하여 남기다.
2. 시골길이 울퉁불퉁하다. — 물체의 겉 부분이나 바닥이 고르지 않게 여기저기 몹시 나오고 들어간 데가 있다.
3. 커튼으로 햇볕을 차단하다. — 물이나 연기 따위가 흐르는 통로를 막거나 끊어서 통하지 못하게 하다.
4. 과일을 색깔별로 구분하다. — 어떤 기준에 따라 전체를 몇 개의 부분으로 나누다.

도움말▼ '편평하다'는 '넓적하다'와 바꿔 쓸 수 있어요.

5. 산 위에 있는 바위가 편평하다. — 바닥이 넓고 고르다.
6. 바닥이 왁스칠을 하니 아주 매끈매끈하다. — 흠이나 거친 데가 없어 밀리어 나갈 정도로 몹시 보드랍다.

10장 문학의 향기

국어 교과서 266~297쪽

1 문학이 주는 이로움

생각이나 감정을 언어로 표현한 예술을 '문학'이라고 해요. 문학은 우리에게 재미와 감동 등 많은 이로움을 준답니다.

다음은 문학 작품의 이로움을 설명한 것이에요. 빈칸에 알맞은 낱말을 [보기]에서 찾아 써 보세요.

보기

감동　교훈　문화　반성　재미

1. 우리의 마음을 울리는 [감동]을 느낄 수 있다.
   크게 느끼어 마음이 움직임.
2. 다른 사람들의 삶과 [문화]를 이해할 수 있다.
   한 사회에 전체적으로 나타나는 일반적인 분위기
3. 다양한 표현과 이야기를 통해 [재미]를 즐길 수 있다.
   즐거운 기분이나 느낌
4. 자신이 살아온 삶의 태도를 [반성]하고 살필 수 있다.
   자신의 행동에 대하여 잘못이나 부족함이 없는지 돌이켜 봄.
5. 삶을 살아가는 데 도움이 될 만한 [교훈]을 얻을 수 있다.
   도움이 되거나 따를 만한 가르침.

2 감동을 나타내는 말 벅차다

많은 사람들이 문학 작품을 읽고 '감동을 받았다.'라고 말해요. 사람들이 감동을 주는 문학 작품을 좋아하는 이유가 여기에 있지요.

다음은 감동을 나타내는 낱말을 의미별로 정리한 것이에요. 어울리지 않는 낱말을 찾아 ✔표 하세요.

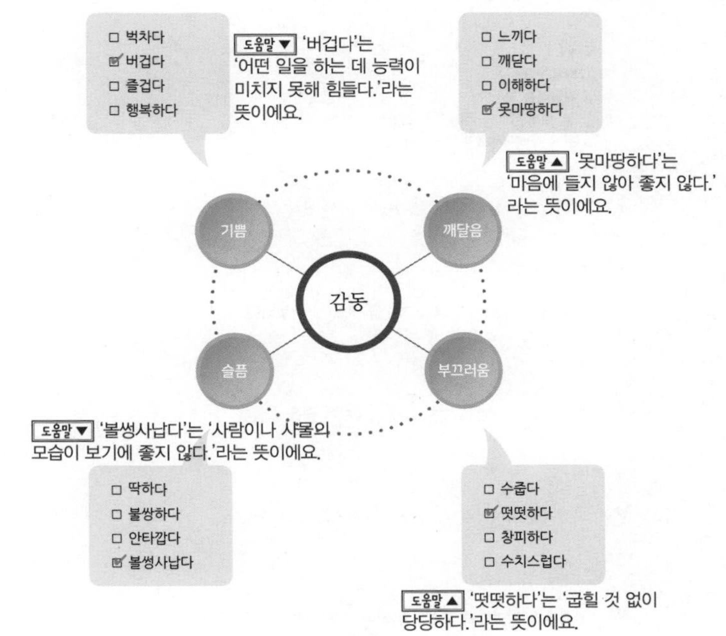

도움말▼ '버겁다'는 '어떤 일을 하는 데 능력이 미치지 못해 힘들다.'라는 뜻이에요.

도움말▲ '못마땅하다'는 '마음에 들지 않아 좋지 않다.'라는 뜻이에요.

도움말▼ '볼썽사납다'는 '사람이나 사물의 모습이 보기에 좋지 않다.'라는 뜻이에요.

도움말▲ '떳떳하다'는 '굽힐 것 없이 당당하다.'라는 뜻이에요.

3 주제별 어휘 농사

곡식과 채소를 기르고 거두는 일을 '농사'라고 해요. 농사를 지으려면 그에 맞는 땅과 재료, 기구들이 필요하답니다.

그림에 알맞은 낱말을 [보기]에서 찾아 써 보세요.

보기

논　밭　갈퀴　거름

1. [논]
   벼를 심어 가꾸는 땅
2. [밭]
   야채나 곡식 농사를 짓는 땅

도움말▲ '논밭'은 논과 밭을 아울러 이르는 말이에요.

3. [거름]
   식물이 잘 자라도록 주는 물질
4. [갈퀴]
   낙엽이나 곡물 따위를 긁어 모으는 데 쓰는 기구

4 시간을 나타내는 말 별안간

'금세'는 '얼마 지나지 않은 때'를 나타내는 말이에요. 이처럼 시간을 가리키는 표현은 사건이 일어난 때나 사건이 일어난 시간의 정도 등을 나타내는 말로 쓰여요.

앞차가 금세 / 별안간 / ⋮ 멈춰 섰다. → 시간의 정도를 나타냄.

빈칸에 알맞은 낱말을 [보기]에서 찾아 써 보세요.

보기

금세　찰나　한참　별안간　온종일

1. 그가 자리에 앉으려던 [찰나]에 버스가 출발했다.
   지극히 짧은 순간
2. 곧 전쟁이 날 거라는 소문이 [금세] 온 마을에 퍼졌다.
   시간이 얼마 지나지 않아서

도움말▼ '한참'과 비슷하게 생긴 '한창'은 '어떤 일이 가장 활기 있고 왕성하게 일어나는 때'를 의미하는 말이에요.

3. 병원에 감기 환자가 많아서 대기실에서 [한참]을 기다렸다.
   시간이 상당히 지나는 동안

도움말▼ '온종일'은 '진종일'로도 쓸 수 있어요.

4. 영희는 엄마의 심부름을 잊어버린 채 [온종일] 놀이터에서 놀았다.
   아침부터 저녁까지 내내
5. [별안간] 천둥 번개가 치더니 굵은 빗줄기가 마구 쏟아지기 시작했다.
   갑작스럽고 아주 짧은 동안

5 뜻이 여러 가지인 말 걸다

'걸다'는 '매달아 놓다.'라는 가장 기본적인 뜻 외에도 여러 가지 뜻으로 쓰이는 말이에요.

벽에 액자를 걸다. (매달아 놓다.)
방문에 문고리를 걸다. (자물쇠를 채우다.)

도움말▲ '흙이나 거름 따위가 기름지고 양분이 많다.'라는 의미를 가진 '걸다'도 있어요.

밑줄 친 낱말의 알맞은 뜻을 찾아 번호를 써 보세요.

걸다
① 매달아 놓다.
② 자물쇠를 채우다.
③ 솥, 냄비 따위를 쓰기 위해 준비하다.
④ 기계 따위가 작동되도록 하다.

1. 문밖에서 자동차에 시동을 거는 소리가 났다. ⇨ ④
2. 방을 꾸미면서 내가 그린 그림을 벽에 걸어 두었다. ⇨ ①
3. 아버지는 저녁밥을 짓기 위해 아궁이에 솥을 걸었다. ⇨ ③
4. 자전거를 잃어버리지 않도록 바퀴에 자물쇠를 걸었다. ⇨ ②
5. 골목에서 튀어나온 고양이를 보고 자전거에 브레이크를 걸었다. ⇨ ②

6 합쳐진 말 빗길

낱말과 낱말이 합쳐져서 하나의 낱말이 될 때, 앞 낱말이 모음으로 끝나면 'ㅅ'이 덧붙는 경우가 있어요. '빗길'은 '비'와 '길'이 합쳐지면서 'ㅅ'이 생겼어요.

비 + 길 → 빗길 (두 낱말이 합쳐질 때 'ㅅ'이 생김.)

도움말▲ '순우리말+순우리말'로 합쳐진 낱말의 경우, 발음상 사잇소리가 나면 'ㅅ'을 적어요.

다음 두 낱말이 합쳐져서 생겨나는 낱말을 써 보세요.

1. 비가 내리는 길 ⇨ 비 + 길 = 빗길
2. 재의 큰 덩어리 ⇨ 재 (불에 타고 남은 가루) + 더미 (많은 물건이 쌓인 큰 덩어리) = 잿더미
3. 귀의 둘레나 끝부분 ⇨ 귀 + 가 (둘레나 끝) = 귓가
4. 바다에 고여 있는 짠물 ⇨ 바다 + 물 = 바닷물

도움말▼ '학교로 가는 길'은 '등굣길'이지요.

5. 학교에서 집으로 돌아오는 길 ⇨ 하교 + 길 = 하굣길
6. 생각이 이루어지는 머리 안 ⇨ 머리 + 속 = 머릿속

7 헷갈리기 쉬운 말 들리다/들르다

'소리가 들려오다.'는 뜻의 '들리다'와 '지나가는 길에 거치다.'는 뜻의 '들르다'는 형태가 비슷하지만 전혀 다른 뜻으로 쓰이는 낱말이에요.

소문이 들리다. (들르다(×))
친구 집에 들르다. (들리다(×))

도움말▲ '들리다'는 '병에 걸리다.', '위로 올려지다.'라는 뜻으로도 쓰여요.

주어진 뜻을 참고하여 문장에 어울리는 낱말을 찾아 ○표 하세요.

들리다	소리 따위가 귀에 들려오다.
들르다	지나가는 길에 잠깐 머무르다.

1. 어머니의 심부름으로 시장에 (들리다 / (들르다)).
2. 아이들이 키득대는 소리가 ((들리다) / 들르다).
3. 집에 가는 길에 학교 앞 문방구에 (들리다 / (들르다)).

떠벌이다	굉장한 규모로 차리다.
떠벌리다	이야기를 부풀려서 늘어놓다.

4. 나만 아는 언니의 약점을 (떠벌이다 / (떠벌리다)).
5. 친구들에게 자신의 경험담을 (떠벌이다 / (떠벌리다)).
6. 욕심을 내어 이것저것 사업을 ((떠벌이다) / 떠벌리다).

8 바꿔 쓸 수 있는 말 모질다

'모질다'는 '몹시 매섭고 독하다.'는 뜻으로 '지독하다'와 바꿔 쓸 수 있어요.

그녀의 성격은 매우 [모질다 / 지독하다]. (바꿔 쓸 수 있음.)

다음 밑줄 친 낱말과 바꿔 쓸 수 있는 낱말을 찾아 ○표 하세요.

1. 아이를 잃고 가슴이 미어지다.
   (슬프다) 미워지다 뿌듯하다 멀어지다
2. 옆집의 떠드는 소리가 거슬리다.
   긁다 신나다 되돌리다 (불쾌하다)
3. 할아버지는 인정이 많고 어질다.
   질리다 (착하다) 복잡하다 어지럽다
4. 군인이 된 형은 무척이나 늠름하다.
   느리다 예쁘다 느끼하다 (당당하다)

도움말▼ '찜찜하다'는 '마음에 걸려 언짢은 느낌이 있다.'라는 뜻이에요.

5. 그녀는 전쟁에서 살아남을 정도로 모질다.
   미치다 질리다 (지독하다) 모자르다
6. 아이를 지켜보는 아버지의 마음이 흐뭇하다.
   우습다 (흡족하다) 찜찜하다 시원하다

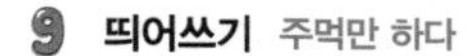

9 띄어쓰기 주먹만 하다

'주먹만 하다'에서 '-만'은 앞의 낱말의 크기나 정도가 비슷함을 나타내는 도움말이에요. 이런 도움말은 앞말과 붙여 써야 해요. 하지만 낱말과 낱말은 띄어 써야 하므로 '만'과 '하다'는 띄어 쓰도록 해요.

주먹만 하다 / 사과만 하다

도움말▲ 실제 원고지에 쓸 때에는, 들여쓰기를 하여 첫 칸은 비워두고 써야 해요.

다음 문장을 바르게 띄어 써 보세요.

❶ 사과가주먹만하다.

사	과	가		주	먹	만		하	다.

❷ 얼굴이사과만하다.

얼	굴	이		사	과	만		하	다.

❸ 파도가집채만하다.

파	도	가		집	채	만		하	다.

*집채: 집의 한 덩이

❹ 집이손바닥만하다.

집	이		손	바	닥	만		하	다.

❺ 개가송아지만하다.

개	가		송	아	지	만		하	다.

10 줄여 쓰는 말 돼

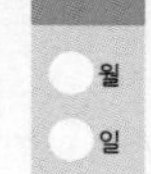

'나는 올해 열 살이 되었다.'라는 문장에서 '되었다'는 줄여서 '됐다'라고 쓰기도 해요. 'ㅚ'와 'ㅓ'가 줄어들면 'ㅙ'로 쓰여요.

올해 열 살이 되었다. → 올해 열 살이 됐다.
('ㅓ'와 만남. / 'ㅚ'가 / 됬다(×))

밑줄 친 부분을 알맞게 줄여 써 보세요.

❶ 얼음이 녹아 물이 되었다. ⇨ 됐다

❷ 봄이 되어서 꽃이 피었다. ⇨ 돼서

❸ 왕자는 마법에 걸려 야수가 되었다. ⇨ 됐다

❹ 우리는 커서 훌륭한 사람이 되어야 한다. ⇨ 돼야

다음 문장에 알맞은 낱말을 찾아 ○표 하세요.

❶ 학생은 나무로 (된 / 됀) 책상에 앉았다. (된 ○)

❷ 밥이 다 (되서 / 돼서) 온 가족이 식사를 했다. (돼서 ○)

❸ 그는 무리에서 떨어져서 낙동강 오리알이 (됬다 / 됐다). (됐다 ○)
낙동강 오리알: 무리에서 떨어져 나와 홀로 된 신세

11 타교과 어휘 도덕

빈칸에 알맞은 낱말을 [보기]에서 찾아 써 보세요.

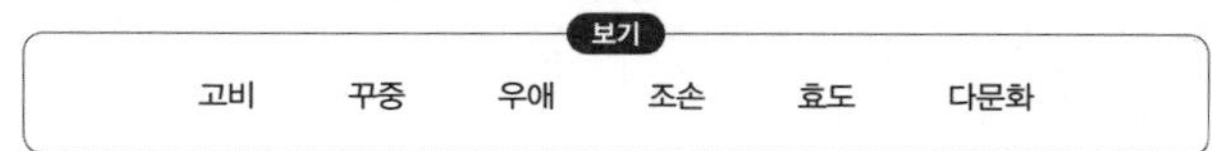

보기: 고비 꾸중 우애 조손 효도 다문화

❶ 자식은 부모님께 [효도]를 해야 한다.
효도: 부모를 정성껏 잘 섬기는 일

도움말▼ '꾸중'은 '꾸지람'으로도 쓸 수 있어요.

❷ 엄마에게 [꾸중]을 들으니 몹시 속상했다.
꾸중: 아랫사람의 잘못을 꾸짖는 말

❸ 우리 형제는 [우애]가 좋다고 학교에 소문이 났다.
우애: 형제간 또는 친구 간의 사랑이나 정

❹ 경수네는 할머니 할아버지와 함께 사는 [조손] 가정이다.
조손: 할아버지와 할머니, 손자나 손녀를 아울러 이르는 말

❺ 가족의 응원 덕분에 어려운 [고비]를 잘 넘길 수 있었다.
고비: 일이 되어 가는 과정에서 가장 중요하거나 힘든 순간

❻ 진정한 [다문화] 사회로 가기 위해서는 다양한 문화에 대한 이해가 필요하다.
다문화: 한 사회 안에 여러 민족이나 여러 국가의 문화가 함께 있는 것을 이르는 말

밑줄 친 낱말에 알맞은 뜻을 찾아 연결하세요.

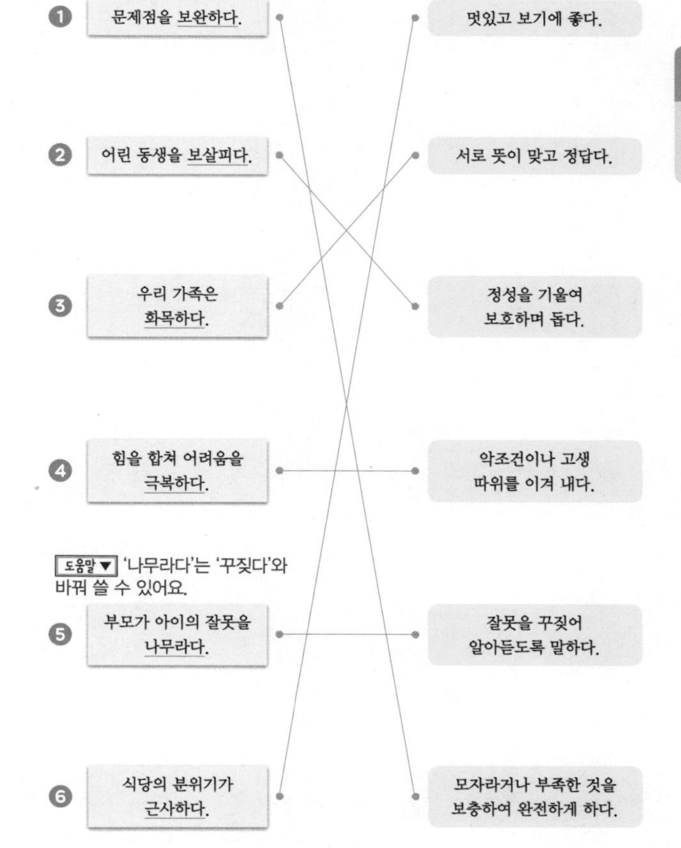

❶ 문제점을 보완하다.
❷ 어린 동생을 보살피다.
❸ 우리 가족은 화목하다.
❹ 힘을 합쳐 어려움을 극복하다.
도움말▼ '나무라다'는 '꾸짖다'와 바꿔 쓸 수 있어요.
❺ 부모가 아이의 잘못을 나무라다.
❻ 식당의 분위기가 근사하다.
멋있고 보기에 좋다.
서로 뜻이 맞고 정답다.
정성을 기울여 보호하며 돕다.
악조건이나 고생 따위를 이겨 내다.
잘못을 꾸짖어 알아듣도록 말하다.
모자라거나 부족한 것을 보충하여 완전하게 하다.

30일 월 일

MEMO

[숨마 어린이®]는

중고교 상위권 선호도 1위 브랜드 숨마쿰라우데® 가 만든

초등학생들을 위한 혁신적인 **초등 브랜드**입니다 !

초등국어 어휘왕 시리즈 (초3 ~ 초6 학기별 총 8권)

"초등국어 어휘왕"은

많은 교사와 학부모들이 적극 추천하는 교재입니다.

'초등국어 어휘왕'은 학교 수업과 병행하여 학습할 수 있다는 장점이 있습니다. 기본적인 문법 개념, 맞춤법, 띄어쓰기까지 모두 담고 있어, 교재를 한번 꼼꼼히 공부하고 나면 어휘력 향상에 많은 도움이 됩니다. 대명초 **정지원** 선생님

교과 어휘의 중요성은 거듭 강조해도 지나치지 않습니다. 교과서에 수록된 어휘들을 단원별로 잘 정리하여 재미있게 학습할 수 있도록 한 교재가 바로 '초등국어 어휘왕'입니다. 초등국어 어휘왕을 꾸준히 공부하면 학습의 기틀을 확실하게 마련할 수 있습니다. 수내초 **우정민** 선생님

학교 현장에는 교과서에 나온 어휘를 제대로 이해하지 못해 교과 학습에 어려움을 겪는 학생들이 많습니다. 학생들이 '초등국어 어휘왕'을 통해 단원별 주요 어휘들을 예습·복습하는 것만으로도 학교 수업을 이해하는 데 많은 도움이 될 것입니다. 세륜초 **김민하** 선생님

쉬운 설명과 예문으로 어휘의 기본 개념을 설명해 주니 아이가 쉽게 이해하네요. 역시 어휘 학습은 암기보다는 예문을 통해 공부하는 것이 효과적이라는 생각이 듭니다. 초등맘 블로거 **제이드림**님

'초등국어 독해왕 시리즈'로 학습을 마친 우리 둘째 아이는 글을 읽는 데 자신감이 생겼다고 말해요. '초등국어 어휘왕'으로 공부해서 어휘력에도 자신감을 갖게 되기를 기대해 봅니다. 초등맘 블로거 **오렌지자몽**님

'초등국어 어휘왕'은 국어 교과 단원과 연계되어 있어 교과서와 함께 학습하면 좋은 교재예요. '초등국어 어휘왕'으로 미리 예습을 하면 학교 수업을 더 잘 이해할 수 있겠어요. 초등맘 블로거 **마미브라운베어**님

어휘력은 어휘의 의미를 확인하고 실제 활용을 해 봐야 는다고 생각해요. '초등국어 어휘왕'은 교과서 어휘를 중심으로 우리가 생활에서 많이 활용하는 어휘들을 재미있는 문제 풀이를 통해 익힐 수 있어서 부담스럽지 않게 학습할 수 있는 교재랍니다. 초등맘 블로거 **소안맘**님

이름이앤비로 통하는 **HOT LINE**

CALL 02) 424 - 2410

FAX 02) 424 - 5006

INTERNET www.erumenb.com

E-MAIL webmaster@erumenb.com